MISSION 2

TRAFIC

www.cherubcampus.fr
www.casterman.com

Publié en Grande-Bretagne par Hodder Children's Books, sous le titre : *Class A*

ISBN 978-2-203-02065-8
N ° d'édition: L.01EJDN00428.C010

casterman

Achevé d'imprimer en septembre 2012, en Espagne.
Dépôt légal : février 2009 ; D.2009/0053/94
Déposé au ministère de la Justice, Paris (loi n°49.956 du 16 juillet 1949 sur les publications destinées à la jeunesse).

Trafic

Robert Muchamore

CHERUB/02

Traduit de l'anglais
par Antoine Pinchot

Avant-propos

CHERUB est un département secret des services de renseignement britanniques composé d'agents âgés de dix à dix-sept ans recrutés dans les orphelinats du pays. Soumis à un entraînement intensif, ils sont chargés de remplir des missions d'espionnage visant à mettre en échec les entreprises criminelles et terroristes qui menacent le Royaume-Uni. Ils vivent au quartier général de CHERUB, une base aussi appelée « campus » dissimulée au cœur de la campagne anglaise.

Ces agents mineurs sont utilisés en dernier recours dans le cadre d'opérations d'infiltration, lorsque les agents adultes se révèlent incapables de tromper la vigilance des criminels. Les membres de CHERUB, en raison de leur âge, demeurent insoupçonnables tant qu'ils n'ont pas été pris en flagrant délit d'espionnage.

Près de trois cents agents vivent au campus. Le rapport de mission suivant décrit en particulier les activités de **JAMES ADAMS**, né à Londres en 1991, dont le comportement disciplinaire est fréquemment mis en cause par les autorités de l'organisation ; **LAUREN ADAMS**, sa sœur, née à Londres en 1994 ; **KERRY CHANG**, née à Hong Kong en 1992, rompue aux techniques de combat à mains nues ; **GABRIELLE O'BRIEN**, née à la Jamaïque en 1991, meilleure amie de Kerry ; **BRUCE NORRIS**, né en 1992 au pays de Galles, expert en arts martiaux ; **KYLE BLUEMAN**, né en 1989 au Royaume-Uni, connu pour son insubordination.

Les faits décrits dans le rapport que vous allez consulter se déroulent en 2004.

Rappel réglementaire

En 1957, CHERUB a adopté le port de T-shirts de couleur pour matérialiser le rang hiérarchique de ses agents et de ses instructeurs.

Le T-shirt **orange** est réservé aux invités. Les résidents de CHERUB ont l'interdiction formelle de leur adresser la parole, à moins d'avoir reçu l'autorisation du directeur.

Le T-shirt **rouge** est porté par les résidents qui n'ont pas encore suivi le programme d'entraînement initial exigé pour obtenir la qualification d'agent opérationnel. Ils sont pour la plupart âgés de six à dix ans.

Le T-shirt **bleu ciel** est réservé aux résidents qui suivent le programme d'entraînement initial.

Le T-shirt **gris** est remis à l'issue du programme d'entraînement initial aux résidents ayant acquis le statut d'agent opérationnel.

Le T-shirt **bleu marine** récompense les agents ayant accompli une performance exceptionnelle au cours d'une mission.

Le T-shirt **noir** est décerné sur décision du directeur aux agents ayant accompli des actes héroïques au cours d'un grand nombre de missions. La moitié des résidents reçoivent cette distinction avant de quitter CHERUB.

La plupart des agents prennent leur retraite à dix-sept ou dix-huit ans. À leur départ, ils reçoivent le T-shirt **blanc**. Ils ont l'obligation –et l'honneur– de le porter à chaque fois qu'ils reviennent au campus pour rendre visite à leurs anciens camarades ou participer à une convention.

La plupart des instructeurs de CHERUB portent le T-shirt blanc.

1. Un après-midi de chien

Des milliers d'insectes voletaient dans le soleil couchant. Lassés de les chasser en vain, Bruce et James les laissaient bourdonner à leurs oreilles. Ils venaient de parcourir dix kilomètres d'un pas vif sur le sentier abrupt et tortueux qui menait à la villa où deux enfants de huit ans étaient retenus en otages.

— Allez, on fait une pause, souffla James, plié en deux, les mains plaquées sur ses genoux. Je suis lessivé.

— J'ai un an de moins que toi, fit remarquer Bruce, visiblement impatient d'atteindre son objectif. C'est toi qui devrais me soutenir. Tu as pris trop de poids, mon vieux.

James contempla son ventre.

— Arrête ton char. Je ne suis pas gros.

— Ah, vraiment ? Tu verras bien, à la prochaine visite médicale. Tu vas te faire crucifier. Ils vont te mettre au régime et te condamner à faire des tours de piste jusqu'à ce que mort s'ensuive.

James se redressa et but quelques gorgées au goulot de sa gourde.

— C'est pas ma faute. C'est génétique. Tu aurais dû voir ma mère, juste avant sa mort.

Bruce éclata de rire.

— James, j'ai trouvé des emballages de Mars et de Snickers dans la poubelle, ce matin. C'est pas génétique. Vois les choses en face. Tu es un goinfre, c'est tout.

— Qu'est-ce que tu veux, tout le monde n'a pas la chance d'être sec et musclé comme toi. Bon, on continue ?

— Profitons de cette pause pour faire le point.

James sortit une carte de son sac. Bruce consulta le GPS fixé à la ceinture de son short. Grâce à ce dispositif, il pouvait connaître sa position géographique partout dans le monde, à deux mètres près. Il transposa sur la carte les coordonnées affichées à l'écran.

— Nous sommes à moins de cinq cents mètres de la villa. C'est le moment de quitter le sentier.

— Ça grimpe dur, et le sol est instable. Ça va être un cauchemar.

— Qu'est-ce que tu proposes ? Frapper à la porte et demander poliment aux terroristes de relâcher leurs otages ? Franchement, je crois qu'il vaudrait mieux approcher par les sous-bois.

James essaya vainement de replier la carte, puis, l'air contrarié, la roula en boule avant de la fourrer dans son sac. Les deux garçons s'enfoncèrent entre les arbres. Les feuilles et les brindilles craquaient sous leurs baskets. Il n'avait pas plu depuis deux mois. La partie est de l'île était en proie à de violents feux de forêt. Par temps clair, on pouvait voir de hautes colonnes de fumée noire s'élever dans le ciel d'azur.

Pour faciliter leur ascension le long des flancs escarpés de la colline, ils se cramponnaient aux branchages et se hissaient à la seule force des biceps. De temps à autre, l'un d'eux saisissait une tige hérissée d'épines ou s'agrippait à un arbuste insuffisamment enraciné, avant de battre désespérément des bras à la recherche d'un appui, de crainte de basculer en arrière.

Lorsqu'ils atteignirent la lisière de la forêt, à quelques mètres de la clôture métallique qui entourait la villa, ils se jetèrent à plat ventre. Bruce gémit de douleur.

— Quelque chose ne va pas ? demanda James.

Son camarade porta la main droite à hauteur de son visage. Malgré la pénombre, on pouvait voir le sang couler le long de son avant-bras.

— Comment tu t'es fait ça ?

Le garçon haussa les épaules.

— Je ne sais pas. Sur le coup, je n'ai rien senti.

— Laisse-moi faire.

James dévissa le bouchon de sa gourde et nettoya le sang sous un mince filet d'eau. Il sortit de son sac sa trousse de premiers soins, coinça sa lampe de poche entre ses dents et examina la blessure. Une longue épine était fichée dans la peau, entre le majeur et l'annulaire.

— Eh bien, tu ne t'es pas raté, dit-il. Ça fait mal ?

— Quelle question débile. Bien sûr que ça fait mal.

— Tu crois qu'il faut l'enlever ?

— Évidemment, répondit Bruce d'un ton las. Ça t'arrive d'écouter pendant les cours ? *Toute épine ou écharde doit être retirée sans délai, sauf si une hémorragie importante laisse supposer qu'une veine ou une artère a été touchée. Appliquer du désinfectant puis un pansement ou un bandage stérile.*

— Des fois, on dirait que tu as avalé le manuel de survie.

— Il me semble qu'on a participé au même stage, James. Seulement, moi, je n'ai pas passé mon temps à draguer Susan Kaplan.

— Ouais, on peut dire que j'ai bien perdu mon temps. Si j'avais su qu'elle avait déjà un copain…

— Elle t'a menti. Elle a dit ça pour que tu lui lâches la grappe.

— Oh, soupira James, accablé. Et moi qui croyais que je lui plaisais…

Craignant que les ravisseurs présents à l'intérieur de la maison n'entendent ses cris de douleur, Bruce mordit l'une des courroies de son sac à dos. James saisit sa pince à épiler entre le pouce et l'index.

— Prêt ?

Son ami hocha la tête.

L'épine sortit de la peau sans offrir de résistance. Bruce poussa un gémissement. James épongea une goutte de sang, appliqua de la crème antiseptique et posa un pansement à la base des doigts de son équipier.

— Voilà, c'est fini, dit-il. Tu crois que tu peux poursuivre la mission ?

— On ne peut pas faire demi-tour.

— Repose-toi une minute. Pendant ce temps, je vais ramper jusqu'à la clôture et faire le point sur les mesures de sécurité.

— Fais gaffe aux caméras. Ils doivent être sur leurs gardes.

James éteignit sa lampe et, à la lumière de la lune, progressa jusqu'à l'enceinte grillagée. La villa comportait un étage, un garage équipé d'une porte électrique pouvant abriter quatre voitures et une vaste piscine aux formes arrondies. Il entendait distinctement le chuintement rapide et régulier d'un système d'arrosage automatique. Il n'aperçut ni caméra ni dispositif de détection sophistiqué : rien que le boîtier jaune fluo d'une alarme bon marché fixé à un mur, près de la porte d'entrée, une installation sommaire qui pouvait être neutralisée depuis l'extérieur du bâtiment. Il se tourna vers Bruce et chuchota :

— Tu peux venir. Ça n'a pas l'air trop sérieux.

Puis il pratiqua une brèche dans la clôture à l'aide de ses pinces coupantes. Son camarade s'y engagea le premier et commença à ramper énergiquement vers la villa. James le suivit, progressa de quelques mètres puis sentit un contact tiède et visqueux contre son tibia.

— Oh non, gémit-il. C'est dégueulasse.

Bruce posa un doigt sur ses lèvres pour lui intimer l'ordre de se faire plus discret.

— Ferme-la, bon sang, chuchota-t-il. Qu'est-ce qui se passe ?

— Je viens de me traîner dans une énorme merde de chien, dit-il, le cœur au bord des lèvres.

— Là, on est mal, fit remarquer Bruce, avec un sourire mi-amusé, mi-anxieux. Car qui dit *énorme* merde de chien dit forcément *énorme* chien.

À cette pensée, James accéléra instinctivement sa progression. Les deux garçons atteignirent la maison. Bruce s'adossa au mur, tout près d'une large baie vitrée, puis jeta un œil dans la pièce éclairée. Il aperçut deux canapés de cuir et une table de billard. Il essaya de faire coulisser la porte-fenêtre, mais elle était fermée de l'intérieur et dépourvue de serrure. Son pistolet à aiguilles ne lui était d'aucune utilité.

OUAF !

Les garçons jetèrent un regard affolé autour d'eux. Un gigantesque rottweiler se tenait à cinq mètres, une créature aux muscles saillants, à la robe sombre et à la gueule écumante.

— Bon toutou, murmura Bruce en tâchant de conserver le contrôle de ses nerfs.

Le chien s'approcha en grondant, ses yeux noirs braqués sur eux.

— Le gentil chienchien à son pépère, ajouta le garçon.

— Bruce, désolé de te décevoir, mais il ne va pas se mettre sur le dos et te laisser lui grattouiller le ventre.

— OK. Tu as un plan ?

— Ne lui montre pas que tu as peur. Soutiens son regard. Il est sans doute aussi effrayé que nous.

— Ouais, comme tu dis. Apparemment, vu l'odeur que tu dégages, il s'est carrément fait dessus de trouille.

Le chien lâcha quelques aboiements assourdissants. James rampa en marche arrière et s'empêtra dans un tuyau d'arrosage. Il se retourna pour l'examiner quelques secondes puis le saisit à deux mains. Le molosse n'était plus qu'à quelques mètres de lui.

— Bruce, crochète la porte d'entrée. Je vais essayer de le retenir.

Son camarade recula prudemment de quelques mètres puis disparut au coin de la villa. En vérité, James espérait confusément que le chien se rue sur son camarade, mais l'animal ne le quittait pas du regard, si proche qu'il pouvait sentir son souffle chaud sur son visage.

— Bon chien, murmura-t-il.

À ces mots, le rottweiler bondit en avant. James fit un pas de côté, et les pattes de l'animal rencontrèrent la surface lisse de la baie vitrée. Le garçon frappa de toutes ses forces la cage thoracique du monstre. Ce dernier laissa échapper un cri aigu, puis fit quelques pas en arrière. James fit claquer son fouet improvisé sur les dalles du jardin, dans l'espoir que le bruit effraierait son adversaire, mais ce son sec le fit gronder de plus belle.

James avait l'impression que ses entrailles se liquéfiaient. Il se sentait vulnérable. Il lui apparaissait évident que ce molosse pouvait à tout moment le dévorer vivant. Seul un miracle pouvait désormais lui épargner cette fin atroce.

Alors, il entendit un déclic puis vit, du coin de l'œil, la baie vitrée s'entrouvrir.

— Si Monsieur veut bien se donner la peine d'entrer, dit Bruce, accroupi derrière un rideau.

James fit volte-face, bondit à l'intérieur de l'habitation et referma la porte coulissante.

— Tu as fait vite, lâcha-t-il en essayant de réprimer le tremblement qui s'était emparé de ses mains. Où sont les kidnappeurs ?

— J'ai croisé personne. C'est louche. Ils auraient dû entendre les aboiements de ce foutu clebs. On doit avoir affaire à des terroristes sourds comme des pots.

James essuya sa jambe dans le rideau.

— Tu es vraiment immonde, lâcha Bruce. Aucun savoir-vivre.

— Tu as inspecté toutes les pièces ?

Son ami secoua la tête.

— Pas eu le temps.

Ils explorèrent prudemment le moindre recoin du rez-de-chaussée. Tout laissait à penser que la villa était habitée. Il y avait des mégots de cigarette dans les cendriers et de la vaisselle sale dans l'évier de la cuisine. Une Mercedes était stationnée dans le garage. Les clés de contact étaient posées sur le siège du conducteur. Bruce les fourra dans sa poche.

— Juste au cas où on devrait se tailler en vitesse.

Ils gravirent lentement l'escalier, s'attendant à voir un ennemi surgir devant eux, pistolet au poing.

Contre toute attente, ils atteignirent le palier sans rencontrer d'opposition, inspectèrent la salle de bains, puis découvrirent les enfants dans une chambre, ligotés au cadre du lit, un bâillon sur la bouche.

James et Bruce tirèrent leur couteau de combat de leur ceinture et tranchèrent les liens des otages.

— Laura, dit James. Où sont passés les kidnappeurs ?

La petite fille semblait désorientée.

— Je ne sais pas. J'ai envie de faire pipi.

Les deux victimes, visiblement en état de choc, se montrèrent incapables de fournir la moindre information sur les terroristes. Quelque chose clochait. James et Bruce s'étonnaient de ne pas avoir rencontré de résistance. Tout s'était déroulé trop facilement.

— Allez, tout le monde descend à la voiture, dit James.

Laura commença à boiter vers les toilettes, comme si elle n'avait rien entendu. Elle portait un bandage à la hanche.

— Eh, on n'a pas le temps. Ces types sont armés et pas nous.

— Je ne vais pas pouvoir me retenir, gémit-elle en se ruant dans la salle de bains.

James était furieux.

— Bon d'accord, mais fais vite, nom d'un chien.

— Je dois y aller aussi, murmura Jake.

Bruce secoua la tête.

— Pas question. Tu pisseras dans un coin du garage pendant que je démarre la voiture.

Il tira Jake vers le rez-de-chaussée. James compta jusqu'à trente avant de frapper à la porte des toilettes.

— Il faut que je me lave les mains, dit Laura. Je ne trouve pas le savon.

James n'en croyait pas ses oreilles.

— Pour l'amour de Dieu ! cria-t-il en martelant du poing la porte close. Il faut qu'on foute le camp d'ici immédiatement.

Lorsque la fillette finit par sortir de la salle de bains, il la hissa sur ses épaules et dévala l'escalier jusqu'au garage. Bruce s'assit au volant de la Mercedes. Laura et Jake se glissèrent sur la banquette arrière.

— Merde ! elle ne démarre pas, lâcha Bruce.

Il descendit du véhicule, le contourna par l'avant et envoya un violent coup de pied dans le pare-chocs.

— Les clefs rentrent dans la serrure mais elles refusent de tourner. Je ne comprends pas ce qui se passe.

— Elle a été sabotée ! cria James. Je crois qu'on s'est fait piéger.

Le visage de Bruce pâlit brusquement.

— Bon sang, tu as raison. Tirons-nous d'ici en vitesse.

James se pencha vers la banquette arrière.

— Désolé, vous deux, mais on dirait qu'il va falloir courir.

Alors James entendit un son métallique, tout près de son oreille. Il fit volte-face et vit le canon d'une arme braqué sur lui. Bruce poussa un hurlement. James sentit deux balles le frapper en plein cœur. Ses poumons se vidèrent d'un seul coup. Il bascula en arrière, deux taches écarlates au centre de la poitrine.

2. Bang bang

Une troisième bille de peinture tirée à bout portant contraignit James à poser un genou sur le sol de béton. Kerry Chang gardait son arme pointée sur lui. Il leva lentement les mains en l'air.

— OK, je me rends.

— Qu'est-ce que tu dis ? demanda la jeune fille, avant de lui tirer une nouvelle bille en pleine cuisse.

Ces projectiles n'occasionnaient pas de blessures mais, tirés à une distance aussi réduite, ils cinglaient la peau comme des coups de fouet.

— Kerry, arrête s'il te plaît ! Ça fait un mal de chien.

— Pardon ? J'entends rien.

Des claquements secs résonnèrent de l'autre côté de la voiture. Bruce poussa un hurlement. Gabrielle venait de faire feu sur lui à deux reprises.

Kerry appuya une nouvelle fois sur la détente. Atteint à l'estomac, James se plia en deux.

— Tu es complètement malade, gémit-il. Tu vas

finir par me crever un œil. Tu es censée cesser le feu. Je t'ai dit que je me rendais.

— Ah bon ? dit Kerry avec un sourire mauvais. J'avais mal entendu. Je croyais que tu me suppliais de t'achever.

Les filles déposèrent leurs armes sur le toit de la Mercedes.

— Voilà ce que j'appelle se faire botter le train en beauté ! s'exclama Gabrielle en forçant son accent jamaïcain.

James s'assit, les mains serrées sur l'estomac. La souffrance était vive, mais l'échec qu'il venait d'essuyer devant une équipe exclusivement composée de filles au cours d'un simple exercice de simulation était cent fois plus douloureux.

La porte électrique du garage se souleva lentement, dévoilant la silhouette colossale de Norman Large, l'instructeur en chef de CHERUB. Il tenait en laisse le rottweiler avec lequel Bruce et James avaient eu maille à partir.

— Bien joué, mes petites chéries, dit-il. Je vois qu'il n'y a pas que de la flotte dans vos jolies petites têtes.

Kerry et Gabrielle affichaient un sourire radieux. Large avança en direction de James puis posa une ranger pointure cinquante sur son mollet. Ce dernier plaqua une main sur son visage pour se protéger de l'haleine fétide du chien.

— Ce monstre va me bouffer vivant.

Mr Large éclata de rire.

— Bruce et toi avez eu de la chance. Thatcher a été entraîné à clouer les gens au sol sans jamais les mordre. Son frère Saddam, lui, c'est autre chose. Il est dressé pour tuer. Si vous aviez eu affaire à lui, on serait en train de ramasser vos restes dans des sacs-poubelles. Malheureusement, le directeur m'interdit d'avoir recours à ses services. Lève-toi, James. Gabrielle, aide l'autre idiot à se remettre sur pieds.

Bruce rejoignit l'instructeur en boitant. De la peinture jaune dégoulinait le long de ses jambes. Les deux garçons s'adossèrent à la Mercedes.

— Mes petits lapins, pouvez-vous me dire quelles erreurs vous avez commises ?

— Je... je ne sais pas vraiment, balbutia James.

Bruce contemplait fixement la pointe de ses baskets.

— Bien. Commençons par le début. Tout d'abord, pourquoi avez-vous mis tant de temps pour atteindre la villa ?

— Je ne comprends pas, dit James. On a marché super vite.

— *Marché* ? hurla Large. Moi, si j'étais pris en otage par des terroristes enfouraillés jusqu'aux dents, il me semble que j'aimerais que le commando chargé de ma libération ait la décence de *courir* à mon secours.

— Il faisait une chaleur à crever.

— Moi, j'aurais pu courir, dit Bruce, mais James était claqué au bout de dix minutes.

Ce dernier lui lança un regard féroce. Deux équipiers étaient censés se serrer les coudes, pas se lâcher à la première opportunité pour sauver leur misérable peau.

— Alors comme ça, James, tu n'arrives plus à courir dix kilomètres ? dit l'instructeur, le visage éclairé d'un sourire maléfique. On dirait que tu t'es un peu laissé aller, pendant ces vacances au soleil.

— Mais non, je suis en pleine forme. C'est à cause de la chaleur, je vous dis.

— Admettons. Toujours est-il que vous vous êtes traînés comme des limaces. Du coup, il faisait nuit lorsque vous avez atteint votre objectif, ce qui a rendu l'inspection des lieux beaucoup plus délicate. Oh, je vous rassure, c'est un détail, vu que vous n'avez même pas été foutus de procéder à une reconnaissance digne de ce nom.

— J'ai observé la villa depuis la clôture, protesta James.

Large frappa du poing le toit de la voiture.

— C'est ça que tu appelles reconnaître un théâtre d'opération ? Je ne t'ai donc rien appris, nom de Dieu ?

— *Avant de pénétrer en territoire hostile, procéder à une reconnaissance approfondie, en observant la cible sous tous les angles*, récita Bruce sur un ton mécanique. *Si possible, choisir une position élevée afin d'examiner la structure des bâtiments.*

— Si tu connais le manuel par cœur, Bruce, peux-tu me dire pourquoi vous vous êtes contentés d'un vague coup d'œil dans l'obscurité ?

Les deux garçons semblaient embarrassés. Kerry et

Gabrielle prenaient un plaisir évident à voir les garçons se balancer nerveusement d'un pied sur l'autre.

— Si vous aviez effectué une reconnaissance préliminaire efficace, vous auriez sans doute remarqué la niche du chien et échafaudé une stratégie d'entrée et de sortie, au lieu de ramper bêtement vers la maison en priant pour que tout se passe bien. Une fois les otages récupérés, vous avez décidé de vous replier à bord de la voiture. Ça ne vous a pas semblé un peu trop facile ? Vous n'avez pas flairé le piège ? À moins que l'idée d'une petite balade en Mercedes ne vous ait fait perdre le sens des réalités…

— On a complètement déconné, admit James.

— C'est sans doute la pire prestation à laquelle j'aie jamais assisté au cours d'un exercice de simulation. Vous avez tous les deux ignoré délibérément tout ce que vous avez appris lors de votre formation. Au cours d'une opération réelle, vous seriez morts une dizaine de fois. Je vous mets un F. Et toi, James, tu suivras d'urgence un programme d'amaigrissement . Dix kilomètres de course par jour. Et comme tu as l'air de souffrir de la chaleur, tu commenceras de bonne heure. Cinq heures du matin, ça te convient ?

James savait qu'il était inutile, voire risqué, de mettre en cause une décision de Mr Large, d'autant qu'il semblait de fort méchante humeur et que son visage avait la couleur d'une groseille.

— Et à nous, monsieur, vous nous donnez quelle note ? demanda Kerry sur un ton affecté.

— Je vous accorde un B. Vous avez fait un travail du tonnerre, mais je ne peux pas vous mettre un A, vu la faiblesse de l'opposition.

Gabrielle et Kerry échangèrent un sourire. James aurait voulu fracasser leurs crânes l'un contre l'autre.

— L'heure est venue de retourner à la résidence, dit Large. Bruce, donne-moi les clés de la voiture.

Le garçon lui lança le trousseau.

— Elles ne fonctionneront pas, dit Gabrielle. Ce sont celles de la maison. Je les ai accrochées au porte-clefs Mercedes pour semer la confusion. Voilà celles que vous cherchez.

Mr Large fit grimper Thatcher à la place du passager. Gabrielle et Kerry se glissèrent sur la banquette arrière en compagnie de Laura et Jake.

— Quelle malchance ! s'exclama l'instructeur avec un large sourire. Il n'y a pas assez de place. Je crois que Bruce et James vont devoir rentrer à pied.

— Eh, on a roulé des dizaines de minutes en camionnette avant d'être déposés en bas de la colline. Nous ne savons pas comment rentrer à la résidence.

— Quel malheur, dit Mr Large sur un ton sarcastique. Pour la peine, si vous êtes de retour avant minuit, je vous mettrai un D et vous serez dispensés de refaire l'exercice.

Les deux garçons regardèrent la Mercedes disparaître au bout de l'allée.

— C'est faisable, dit Bruce. Il nous reste trois heures et ça descend du début à la fin.

James ne semblait pas aussi optimiste.

— Mes jambes sont déjà dures comme du bois.

— Tu fais ce que tu veux, mais moi, j'y vais. Il est hors de question que je recommence cette simulation.

— Je suis un parfait crétin. Tout le monde m'avait dit de prendre cet exercice au sérieux, et je n'en ai fait qu'à ma tête. Une fois de plus.

3. Dent pour dent

Chaque été, les agents de CHERUB qui n'étaient pas en mission passaient cinq semaines de vacances sur l'île de C..., en mer Méditerranée. Ils allaient à la plage, pratiquaient de nombreux sports de plein air et faisaient des balades en quad dans les dunes. Ce séjour leur donnait l'impression d'être des enfants comme les autres, et ils parvenaient presque à oublier qu'ils pouvaient partir en opération à tout moment. En contrepartie, les instructeurs leur demandaient de conserver une bonne forme physique et de participer à quelques exercices de simulation.

Comme bon nombre d'agents avant lui, James s'était complètement laissé aller dès son arrivée sur l'île. Depuis quatre semaines, il séchait l'entraînement physique, passait toutes ses journées à traîner sur la plage et ses nuits à regarder des DVD en se goinfrant de pop-corn et de chocolat. Kerry l'avait prévenu qu'il allait au-devant de graves désillusions, mais il avait ignoré son avertissement et était allé faire un tour de jet-ski.

Tandis qu'il dévalait le sentier à la lumière de la lune en compagnie de Bruce, il prenait progressivement conscience de l'ampleur de sa propre bêtise. Il avait donné aux instructeurs le prétexte de faire de sa vie un enfer, et il savait qu'ils ne le lâcheraient pas avant qu'il n'ait retrouvé son poids de forme. Il n'avait aucune excuse : tous ses amis l'avaient mis en garde, mais il avait perdu tout sens des responsabilités au moment précis où il avait posé le pied sur la plage.

Les deux garçons rejoignirent la résidence quelques minutes avant l'heure limite. Ils étaient assoiffés et couverts d'ecchymoses, conséquences de nombreuses chutes dans l'obscurité.

Un groupe d'agents âgés de seize à dix-sept ans faisait la fête autour d'un barbecue dans le jardin. Amy Collins courut à leur rencontre. James la trouvait sublime, avec ses longs cheveux blonds, son short en jean et son petit haut à fleurs qui dévoilait un piercing au nombril.

— Alors, les garçons, vous vous êtes bien fait repeindre ? pouffa-t-elle. Gabrielle et Kerry racontent à tout le monde qu'elles vous ont tirés comme des lapins.

— Tu es soûle, dit James.

La consommation d'alcool était interdite à CHERUB, mais les autorités fermaient les yeux lorsque les agents les plus âgés enfreignaient cette règle, tant qu'ils ne commettaient pas d'excès.

— Oh, j'ai juste bu une petite bière, dit-elle. On a fait une sortie en mer, cet après-midi, et j'ai attrapé un poisson gros comme ça.

Elle écarta les bras pour montrer la taille de sa prise, faillit perdre l'équilibre puis se plia en deux, en proie à une irrépressible crise de fou rire.

— Vous en voulez ? bafouilla-t-elle. Il y a aussi du pain frais du village.

— Il est tard, dit James en secouant la tête. On a surtout besoin d'une bonne douche.

— Comme vous voulez, gloussa la jeune fille. À demain, bande de losers.

Elle s'éloigna en titubant, s'immobilisa brusquement puis fit demi-tour en pivotant sur les talons.

— Au fait, James…

— Quoi ?

— Je t'avais bien dit que ça te pendait au nez, espèce de petit fumiste.

Il lui adressa un doigt d'honneur et se dirigea avec Bruce vers l'entrée de la résidence. Craignant les railleries de leurs camarades, ils se baissèrent en passant devant la porte de la salle de jeux où une trentaine d'agents regardaient un film d'horreur. Deux gamins portant des T-shirts rouges considérèrent leurs vêtements souillés de peinture et gloussèrent comme des crétins. Bruce et James pressèrent le pas pour rejoindre la chambre du premier étage qu'ils partageaient avec Gabrielle et Kerry.

En comparaison des chambres individuelles du campus, la pièce était pauvrement équipée : un ventilateur au plafond, quatre lits simples, quelques chaises en rotin et une petite télé. Les agents s'en moquaient, car ils passaient tout leur temps à l'extérieur et n'y venaient que pour se laver et dormir.

Kerry et Gabrielle avaient regagné la résidence depuis deux heures. La télé diffusait un épisode des *Simpsons* en espagnol. Elles se tenaient tranquilles, s'abstenant de faire le moindre commentaire sur l'épouvantable odeur de sueur que dégageaient leurs deux camarades.

— Alors ? dit James en ôtant ses baskets.

Kerry lui adressa un sourire innocent.

— Alors quoi ?

— Je sais que vous allez vous foutre de notre gueule. Alors allez-y, qu'on en finisse.

— Oh, on ne ferait jamais une chose pareille, protesta Gabrielle. On est des vrais petits anges.

— Des anges, mes fesses, lâcha Bruce.

Kerry s'assit sur son lit. Sa peau était étrangement rose et la plante de ses pieds ridée, comme si elle sortait d'un interminable bain. James jeta son polo sur le sol.

— Emmenez vos fringues à la laverie quand vous aurez pris votre douche, dit-elle. C'est une vraie bombe chimique, ce truc.

— Si notre odeur te gêne à ce point, pourquoi tu ne le fais pas toi-même ? dit Bruce en envoyant valser ses chaussures.

Il retira ses chaussettes, les roula en boule et les lança sur la couette de Kerry. Elle repoussa le projectile fétide de l'extrémité d'un stylo.

— Dites, vous en avez mis du temps pour rentrer, lança-t-elle.

À ces mots, Gabrielle éclata de rire.

— Qu'est-ce qu'il y a de drôle ? demanda James. On s'est tapé quatorze bornes à pied. J'aurais voulu vous y voir.

— Ils sont graves, ces mecs, lâcha la jeune fille. Je le crois pas…

— Quoi ? Qu'est-ce qu'on a fait, encore ?

— Vous avez pris le temps de fouiller la villa ? demanda Kerry sur un ton parfaitement neutre.

— On n'a pas vraiment eu le temps de traîner, expliqua Bruce. Il fallait qu'on soit rentrés avant minuit.

— Vous savez qu'il y avait de l'argent dans l'un des placards de la cuisine ?

— Et qu'est-ce qu'on en aurait fait ?

— Il y avait aussi un téléphone en parfait état de fonctionnement. Et un annuaire de la région.

James perdit patience.

— Où tu veux en venir, bon sang ?

— Nous ne sommes pas en Mongolie extérieure, dit Gabrielle. Pourquoi vous n'avez pas appelé un taxi ?

James et Bruce les considérèrent d'un œil absent.

— Ben oui, un taxi, répéta Kerry. T-A-X-I. C'est comme une voiture normale, avec un chauffeur et une petite lampe orange sur le toit.

— C'est vrai ça, murmura James en adressant un regard furieux à son camarade. Pourquoi t'étais aussi pressé de partir, toi aussi ?

— Eh, t'en prends pas à moi, dit Bruce. Tu n'y as pas pensé non plus.

Gabrielle, prise d'un fou rire incontrôlable, se roula frénétiquement sur son lit.

— Eh ouais, petits génies, dit Kerry en pédalant dans le vide, au comble de la joie. Vous avez marché quatorze kilomètres dans le noir alors que vous auriez pu appeler un taxi et être de retour à la résidence en vingt minutes.

James se dit qu'il rirait sans doute de cette mésaventure, un jour. Pour l'heure, ses ampoules aux pieds avaient éclaté et ses chaussettes étaient tachées de sang. Son dos et ses épaules, écrasés par le poids de son sac à dos, étaient en compote. Son coude ressemblait vaguement à un morceau de steak haché et sa jambe empestait la crotte de chien.

— Putain de bordel de merde ! hurla-t-il en jetant l'une de ses baskets contre le mur.

Il donna un coup de pied contre une armoire, perdit l'équilibre et atterrit lourdement sur les fesses. Les filles riaient si fort qu'elles ne parvenaient plus à reprendre leur souffle. S'efforçant d'intérioriser sa colère, Bruce ôta ses vêtements et se dirigea en caleçon vers la salle de bains.

— Attends deux minutes, dit Kerry en essuyant les larmes qui roulaient sur ses joues. Laisse-moi me brosser les dents, je voudrais me coucher.

— Vas-y, mais grouille-toi, répondit-il, au comble de l'agacement.

Les deux garçons patientèrent dans l'encadrement de la porte. Kerry, sa brosse à dents enfoncée dans la bouche, restait secouée de spasmes. Elle ne put résister à la tentation de retourner une dernière fois le couteau dans la plaie.

— Quatorze kilomètres, couina-t-elle avant de postillonner un nuage de dentifrice sur le miroir de la salle de bains.

C'était plus que Bruce ne pouvait en supporter. Lorsque la jeune fille se baissa pour se rincer la bouche, il saisit sa tête et la plongea dans le lavabo. Les dents de sa victime heurtèrent violemment le robinet. Elle se redressa d'un bond.

— Espèce de salaud ! rugit-elle en explorant nerveusement l'intérieur de sa bouche de la pointe de la langue. Je crois que tu m'as fêlé une dent.

Bruce savait qu'il était allé trop loin, mais il se refusait à présenter des excuses à une fille qui avait passé les dix dernières minutes à se payer ouvertement sa tête.

— Tant mieux, lâcha-t-il. Ça te fera les pieds.

Kerry s'empara d'un verre sur la tablette du lavabo et le lui jeta au visage. Il se baissa in extremis et le projectile vola en éclats contre le mur.

— Du calme, dit James. Ça va trop loin, là.

— Ce connard m'a cassé une dent ! hurla Kerry.

Elle fit un pas en direction de Bruce, lui décocha une puissante droite au menton et se mit en position de combat.

— Tu es sûre de vouloir te frotter à moi ? cria-t-il.

Kerry essuya ses lèvres d'un revers de manche. Ses yeux brillaient d'une lueur sauvage.

— Si tu as envie de te faire corriger par une fille pour la deuxième fois de la journée, je suis prête.

James s'interposa.

— Allez, quoi. Serrez-vous la main, et on n'en parle plus.

— Tire-toi de là, dit Bruce d'un ton glacial.

— James, je vais massacrer ce minable, que tu le veuilles ou non, dit Kerry en lui adressant un regard venimeux. Si tu restes sur mon chemin, prépare-toi à des dommages collatéraux.

James bénéficiait d'une force physique hors du commun. Il aurait pu battre ses deux camarades au bras de fer les doigts dans le nez, mais il avait rejoint CHERUB moins d'un an plus tôt, et sa technique en combat restait limitée. Kerry et Bruce, eux, s'entraînaient quotidiennement depuis cinq ans. Il n'avait aucune chance de prendre le dessus lors d'un combat régulier.

— Je ne bougerai pas d'ici, dit James, un peu anxieux, espérant que Kerry bluffait.

La jeune fille fit un pas en avant, balaya ses chevilles d'un ample mouvement de jambe puis enfonça deux doigts entre ses côtes. C'était une attaque élémentaire qui permettait de mettre un adversaire hors de combat sans le blesser. Le souffle coupé, James rampa vers son lit tandis que les hostilités éclataient au-dessus de sa tête.

Bruce remarqua que Kerry avait très légèrement perdu l'équilibre au cours de son contact avec James. Il en profita pour lui porter un coup sec au thorax. La jeune fille tituba, cherchant à reprendre son souffle, cependant que le poste de télé entonnait le générique final des *Simpsons*.

Bruce avait la certitude que son attaque avait mis fin au combat. Il se rua sur son adversaire pour lui infliger une ultime prise paralysante, mais, contre toute attente, elle retrouva rapidement l'équilibre, esquiva la charge, crocheta sa cheville et balaya ses jambes du mollet.

James s'installa sur son lit, à la fois horrifié par la tournure que prenaient les événements et curieux de savoir qui allait l'emporter. Le combat se déroulait devant la porte, si bien que ni lui ni Gabrielle n'étaient en mesure de quitter la chambre.

Bruce et Kerry se jetèrent sauvagement sur le sol. En un instant, ils semblèrent oublier tout ce qu'ils avaient appris au cours des années passées sur le campus et s'empoignèrent comme deux ivrognes à la sortie d'un bar. Bruce tirait frénétiquement les cheveux de Kerry qui, de son côté, lui labourait la joue de ses ongles.

Ils roulèrent un peu partout dans la pièce en s'insultant copieusement et finirent par heurter le meuble télé. Les deux premières secousses renversèrent le poste sur le flanc. La troisième le fit basculer sur le sol. L'écran éclata en mille morceaux et des étincelles illuminèrent la chambre. Alors, les lumières s'éteignirent et les pales du ventilateur s'immobilisèrent.

James jeta un œil par la fenêtre. Le court-circuit provoqué par l'explosion du tube cathodique avait plongé toute la résidence dans l'obscurité. Le concert de grognements qui accompagnait l'empoignade se poursuivit comme si de rien n'était, et James pouvait apercevoir les deux silhouettes qui se tortillaient sur le carrelage.

Cette panne générale lui offrait enfin une occasion d'aller chercher de l'aide. Gabrielle bondit de son lit au même moment, si bien qu'ils faillirent se percuter dans la pénombre. James trouva la poignée de la porte à l'aveuglette et tous deux déboulèrent hors de la chambre.

Le couloir était éclairé par la lueur verdâtre des boîtiers surmontant les issues de secours. La plupart des pensionnaires y déambulaient en petite tenue, curieux de connaître l'origine de la panne de courant. James reconnut la voix d'Arif, un garçon de dix-sept ans de plus d'un mètre quatre-vingts, sans doute l'un des seuls agents capables de mettre un terme au pugilat.

— Il faut que tu fasses quelque chose, lui dit-il. Bruce et Kerry sont en train de s'entre-tuer.

À ce moment précis, les lumières se rallumèrent. Arif sprinta en direction de la chambre, suivi d'une vingtaine d'agents qui ne voulaient rien manquer du spectacle. Ils trouvèrent Kerry assise sur le sol, le visage tordu de douleur, les mains serrées autour de son genou. Bruce, lui, était introuvable.

— Oh, mon Dieu, sanglota-t-elle. Aidez-moi.

Deux ans plus tôt, Kerry s'était cassé le genou lors du

programme d'entraînement initial. La fracture avait été réduite à l'aide de broches en titane, mais l'articulation restait particulièrement fragile et douloureuse. Arif la hissa sur ses épaules pour la conduire de toute urgence à l'infirmerie.

— Où est Bruce ? gronda Gabrielle.

James fit évacuer les curieux, claqua la porte puis inspecta la salle de bains.

— Je ne sais pas. Je crois bien qu'il s'est taillé.

Alors un sanglot déchirant résonna dans la pièce. James et Gabrielle remarquèrent que la couette qui recouvrait le lit de Bruce était agitée de tremblements.

— Tu es là ? demanda James.

— Je ne voulais pas lui faire du mal, gémit le garçon. Je suis désolé…

— Lorsqu'on fait usage de la violence, il faut en assumer les conséquences, lâcha Gabrielle, le visage fermé.

Touché par la détresse de son ami, James s'assit au bord du lit.

— Laisse-moi tranquille. Je ne bougerai pas d'ici.

— Allez, Bruce, sors de là. Ça arrive à tout le monde de perdre les pédales. Je suis sûr que les instructeurs comprendront. Tu sais, je parle en connaissance de cause, il vaut mieux s'expliquer franchement que pratiquer la politique de l'autruche.

— Ferme-la ! Fous-moi la paix !

Meryl Spencer, la responsable de formation de James, fit irruption dans la pièce. À en juger par ses cheveux défaits, son T-shirt froissé et ses baskets dénouées, l'ancienne sprinteuse olympique venait tout juste d'être tirée du lit.

— Qu'est-ce que c'est que ce bordel ? hurla-t-elle.

— Ils se sont battus, expliqua James. Bruce est planqué sous sa couette et il refuse d'en sortir.

— C'est ce qu'on va voir.

La jeune femme se pencha au-dessus du lit.

— Bruce ! Tu as blessé Kerry, et je te garantis que tu vas faire face à tes responsabilités. Cesse de te comporter comme un gamin.

— Toi, va-t'en, dit le garçon. Personne ne me fera sortir de là.

— Très bien. Je t'accorde trois secondes.

Bruce resta parfaitement immobile.

— Un. Deux. Trois.

Alors elle empoigna le cadre du lit et le renversa sur le côté. Bruce roula sur le sol et Meryl arracha brutalement la couette.

— Lève-toi ! hurla-t-elle. Je te rappelle que tu as onze ans.

Le garçon se dressa d'un bond. Son visage ruisselait de larmes. La jeune femme le saisit par les épaules et le plaqua contre le mur.

— Je veux vous voir tous les trois dans mon bureau immédiatement. Je vous promets que vous allez avoir de gros problèmes. Votre comportement est inacceptable.

— Eh, on n'a rien fait, Gabrielle et moi, protesta James. On a même essayé de les séparer.

— Nous parlerons de tout ça dans un instant, ne t'inquiète pas.

Elle prit une profonde respiration et réalisa que les deux garçons dégageaient une odeur fétide.

— Bon, vous avez dix minutes pour prendre une douche et enfiler des vêtements propres. Et si l'un d'entre vous me refait le coup de la couette, je le ferai courir jusqu'à ce qu'il en crache ses poumons, jusqu'au dernier jour de sa misérable vie.

4. Nains de jardin

— Tu es rentré quand ? demanda Lauren. Tes vacances sont déjà finies ? Qu'est-ce que tu as encore fait, cette fois ?

James, encore tout ensommeillé, sortit péniblement la tête de sous son oreiller. Il n'était pas d'humeur à subir l'interrogatoire de sa sœur de neuf ans. La petite fille avait frappé à la porte de sa chambre à trois reprises puis, ses appels étant restés sans réponse, s'était décidée à crocheter la serrure. C'était l'un des inconvénients de la vie à CHERUB : tous les résidents maîtrisaient les techniques d'effraction, et ils pouvaient parfois se montrer fort indiscrets. James décida qu'il poserait un verrou dès que possible, un dispositif inviolable qu'il pourrait fermer de l'intérieur avant de s'endormir.

— Allez, quoi, dit Lauren en se laissant tomber sur la chaise de bureau de James. Crache le morceau. Tout le monde a vu l'ambulance déposer Kerry au bloc médical.

Lauren était tout ce que James avait au monde depuis la mort de sa mère, l'année précédente. Il l'adorait, mais il ressentait fréquemment une irrésistible envie de l'étrangler. Quand elle s'y mettait, elle avait le chic pour lui taper sur les nerfs.

— Raconte-moi tout, insista-t-elle. Tu sais bien que je vais rester ici pour te tirer les vers du nez jusqu'à ce que tu avoues.

James rejeta la couette au pied du lit et s'assit en frottant ses yeux collés.

— Qu'est-ce que tu fais debout à cette heure ? demanda-t-il. Il fait encore nuit, dehors.

— Il est dix heures et demi du matin, dit Lauren en faisant doucement pivoter la chaise sur son axe. Mais il pleut des cordes.

James se leva pour jeter un œil entre les stores. La pluie ruisselait sur les fenêtres. Le ciel était gris et les courts de tennis extérieurs complètement inondés.

— Génial, murmura-t-il. Rien de tel qu'un été anglais pour se remonter le moral.

— Tu es super bronzé. Moi, je ne suis rentrée que depuis trois semaines, et je suis déjà blanche comme un cachet d'aspirine.

— C'est les plus chouettes vacances que j'aie jamais passées. Il faudrait s'arranger pour y aller au même moment, toi et moi, l'année prochaine. On s'est tapé de ces bourres en quad…

— Les courses sont interdites, dit Lauren.

— Ah bon ? En tout cas, on s'est payé un accident démentiel, Shakeel et moi. T'aurais dû voir l'état des machines. Les pneus avant explosés, de l'essence qui giclait partout. C'était complètement dingue.

— Tu t'es fait mal ?

— Shakeel s'est tordu la cheville, c'est tout. Vivement l'année prochaine.

Lauren sourit.

— Petit joueur. Le frère de Bethany, lui, il est carrément entré dans le réfectoire en quad. Il s'est pris un sacré savon mais on s'est bien marrés. Bon, est-ce que tu vas enfin me dire pourquoi tu t'es fait virer du centre ?

James se laissa tomber sur le dos. Il réalisait à quel point il était peu probable qu'il soit de nouveau invité à batifoler dans les dunes.

— Je te jure que je n'ai rien fait.

— Comme c'est original, James. Tu dis toujours ça.

— Ouais, je sais, mais tu dois me croire, cette fois. Bruce et Kerry se sont à moitié entre-tués. Ils ont dévasté la chambre et elle y a laissé un genou. On n'y est pour rien, Gabrielle et moi, mais Meryl nous a virés quand même. On est convoqués chez le directeur cet après-midi.

— Arrête, vous avez forcément fait quelque chose.

— Lauren, on a juste essayé de les séparer. C'est une erreur judiciaire. Meryl ne m'a pas laissé placer un mot.

— Ça, c'est pour toutes les fois où tu ne t'es pas fait prendre. Comment va Kerry ?

— Elle en bave. Elle a eu droit à une évacuation sanitaire d'urgence à bord d'un avion spécial. Elle ne peut même plus plier la jambe.

— La pauvre.

— Je vais aller prendre de ses nouvelles. Tu veux venir avec moi ?

— J'ai un cours de karaté dans cinq minutes. Je veux être au top pour démarrer le programme d'entraînement initial.

— Ah oui, j'oubliais. Tu commences dans un mois, c'est ça ? J'ai hâte de savoir de quelle façon les instructeurs vont te torturer.

Lauren fronça les sourcils.

— Te fatigue pas, minus. Moi, je n'ai peur de rien.

∴

Le bloc médicalisé se trouvait à dix minutes de marche du bâtiment principal. Lorsque James pénétra dans la chambre de Kerry, Gabrielle se trouvait déjà à son chevet.

— Regarde ce que ton copain lui a fait, dit-elle, comme si elle le tenait pour responsable.

Un panneau *Ne pas alimenter* était fixé au mur, au-dessus du lit. La télé portable suspendue au plafond était branchée sur *MTV*. Kerry avait la tête calée entre deux oreillers. Elle semblait assommée par les anti-douleur, épuisée, les yeux fiévreux, comme si elle avait été incapable de trouver le sommeil.

James posa le lecteur MP3 de la jeune fille sur la table de nuit.

— J'espère que tu ne m'en voudras pas d'avoir fouillé dans ta chambre. J'ai pensé qu'un peu de musique t'aiderait à oublier tout ça.

— Merci, dit la jeune fille.

— Le médecin t'a examinée ?

Elle hocha la tête vers le tableau de plexiglas où était insérée une radiographie.

— Montre-lui, dit-elle à Gabrielle.

Cette dernière se leva et alluma le dispositif.

— C'est la rotule de Kerry, expliqua-t-elle en désignant une zone grise. Tu vois les quatre traits noirs ?

James hocha la tête.

— Ce sont les broches qui ont été placées après l'accident, il y a deux ans. Maintenant, elle a un morceau de métal qui dépasse, à l'arrière du genou. À chaque fois qu'elle fait un mouvement, il pénètre dans le tendon.

— Aïe ! s'exclama James, le visage tordu par une grimace involontaire. Qu'est-ce qu'ils peuvent faire ?

— Ils vont la transporter à l'hôpital et l'opérer dès cet après-midi. Kerry ne peut ni manger ni boire quoi que ce soit à cause de l'anesthésie. Ils vont tâcher de retirer cette saloperie de broche. De toute façon, elle n'en a plus besoin. Depuis l'accident, l'os a grandi et s'est complètement reconstitué.

James imagina des instruments chirurgicaux fouillant l'intérieur de sa jambe et sentit la nausée le gagner.

— Ooooooh mon Dieu ! hurla Kerry.

— Qu'est-ce qu'il y a ? demanda James. Ça va ?

— C'est rien, c'est rien. J'ai juste bougé le pied. En fait, ça fait encore plus mal que quand je me suis cassé le genou.

Elle poussa un grognement de basse. James s'assit près du lit et lui caressa la main.

— Bruce est venu te voir ?

— Bien sûr que non ! explosa Gabrielle. Ce petit connard n'a même pas le courage de venir s'excuser.

— James, dit Kerry, tu peux me rendre un service ?

— Bien sûr. Tout ce que tu voudras.

— Va voir Bruce et dis-lui que je ne lui en veux pas.

— Quoi ? Tu plaisantes ?

— Non. Je ne veux pas que la situation s'envenime. Tu es au courant que je lui ai cassé la jambe, à l'époque où on était des T-shirts rouges ?

— Bien sûr.

— Ça s'est passé pendant un cours de karaté. Bruce a trébuché et s'est retrouvé par terre. J'en ai profité pour lui tomber dessus comme une dingue. Je n'aurais jamais dû faire un truc pareil. Eh bien, Bruce m'a tout de suite pardonné. Tout le monde fait quelque chose de stupide, un jour ou l'autre. Tu es bien placé pour le savoir, d'ailleurs.

Kerry montra la paume de sa main droite, celle qu'il avait volontairement écrasée, un an plus tôt, au cours du programme d'entraînement initial, y imprimant pour toujours une longue cicatrice.

— Je comprends, dit James. Je vais lui parler.

∴

La salle d'attente du directeur, une pièce nue meublée de chaises en plastique, avait quelque chose de déprimant. D'ordinaire, le docteur McAfferty – plus connu sous le nom de Mac – n'avait pas pour habitude de faire attendre ses visiteurs. Mais lorsqu'il recevait des fauteurs de trouble, il prenait un malin plaisir à les laisser poireauter.

James s'assit entre Gabrielle et Bruce. Peigné et parfumé, il était vêtu d'un uniforme impeccable : rangers cirées, treillis repassé et T-shirt bleu marine portant le logo CHERUB. Ses camarades portaient une tenue identique, associée à un T-shirt gris, le seul qu'ils avaient le droit de porter. Bruce avait quatre lignes écarlates sur la joue gauche, là où Kerry l'avait griffé.

Il avait reçu le pardon de sa victime, mais Gabrielle refusait de lui adresser la parole. James se sentait pris entre le marteau et l'enclume. Chaque fois qu'il parlait à l'un, l'autre poussait un soupir agacé. Craignant de se retrouver impliqué dans le conflit, il se résolut à garder le silence.

Ils patientèrent plus d'une demi-heure avant que Mac ne passe sa tête chauve dans l'encadrement de la porte.

— Vous pouvez entrer, dit-il d'une voix lasse en lissant sa barbe grise. Je suis impatient d'y voir plus clair.

James entra le premier et marcha vers le bureau d'acajou.

— Non, venez par là, ordonna le directeur en s'approchant d'une maquette posée sur une petite table près de la fenêtre.

Entièrement réalisé en plastique blanc, le bâtiment miniature mesurait un mètre de long. James remarqua des petits arbres en polystyrène et des personnages miniatures sur les chemins alentour.

— Qu'est-ce que c'est ? demanda-t-il.

— Je vous présente notre nouveau centre de contrôle, dit Mac, visiblement très enthousiaste. Nous allons transformer les vieux bureaux du huitième étage en chambres d'habitation et construire cette splendeur. Plus de cinq mille mètres carrés de bureaux. Chaque mission importante aura le sien, avec des ordinateurs neufs et un équipement dernier cri. Nous bénéficierons de liaisons satellites cryptées avec nos contrôleurs dans le monde entier, les services secrets britanniques, la CIA et le FBI. Cette maquette arrive tout droit du bureau de l'architecte. Vous ne la trouvez pas fantastique ?

Les trois agents hochèrent la tête. Même s'ils l'avaient jugée affreuse, le moment était mal choisi pour contrarier le directeur. Mac considérait le campus comme son jeu de Lego personnel. Il avait toujours un bâtiment à construire, un autre à démolir.

— C'est un écobâtiment ! s'exclama Mac en soulevant le toit de plastique pour que les agents puissent examiner les petites salles équipées de mobilier miniature. Les fenêtres accumulent la chaleur en été et la restituent en hiver. Des panneaux solaires fournissent l'électricité destinée à alimenter les ventilateurs et le circuit d'eau chaude.

— Quand va-t-il être construit ? demanda Bruce.

— Ce centre existe déjà, sous forme d'éléments préfabriqués stockés dans une usine autrichienne, ce qui nous permettra de réduire le nombre d'ouvriers sur le campus. Une fois que les fondations de béton seront coulées, tout pourra être assemblé en quelques semaines. L'équipement sera installé dès le début de l'année. Vous n'imaginez pas le nombre de mains que j'ai dû serrer pour assurer le financement de cette merveille.

— Génial, dit James, espérant que cette manifestation d'enthousiasme encouragerait Mac à se montrer clément.

— Fort bien. Le moment est venu de régler votre sort, mes chers petits hooligans. Posez vos fesses sur ces chaises.

À l'évidence, il considérait cette formalité comme une corvée. Pour l'heure, rien d'autre ne comptait à ses yeux que son nouveau projet architectural.

Les trois adolescents s'assirent devant le bureau. Mac se carra dans son fauteuil de cuir, joignit les mains et les fixa intensément.

— Avez-vous quelque chose à dire pour votre défense ?

— Gabrielle et moi sommes victimes d'une injustice, monsieur, plaida James. Nous avons essayé de les séparer. Nous n'aurions pas dû être renvoyés au campus.

Soudain, du coin de l'œil, il aperçut Lauren et sa meilleure amie Bethany qui les observaient, le nez écrasé contre la fenêtre située derrière le bureau de Mac.

— Selon Meryl Spencer, de retour d'un exercice d'entraînement, vous avez tous les quatre commencé à échanger des moqueries et des provocations. Est-ce exact ?

Les agents hochèrent la tête en silence. À l'extérieur, Lauren et Bethany leur tiraient la langue et leur faisaient des gestes grossiers.

— Selon moi, ceci vous rend tous les quatre responsables de ce qui s'est passé, dit Mac. La moquerie conduit à la colère, qui conduit à la violence et, dans le cas qui nous occupe, à une facture d'évacuation en hélicoptère de huit mille livres. Lorsque vous purgerez votre punition, je vous invite à prendre conscience que vous auriez pu profiter de deux semaines de vacances supplémentaires, si seulement vous vous étiez comportés de façon correcte les uns envers les autres. Est-ce bien compris ?

James détestait la façon dont Mac manipulait les faits pour qu'il se sente coupable de ce qui était arrivé à Kerry. Pour couronner le tout, Lauren avait plaqué contre la vitre une feuille de papier sur laquelle était inscrit : JAMES EST UN GROS NUL. Gabrielle émit un gloussement incontrôlable.

— En guise de punition, je vous demanderai de vous mettre à la disposition du jardinier-chef tous les jours, après la fin des cours. Comme chaque été, je manque de personnel pour l'entretien des pelouses. Deux heures de votre temps libre pendant un mois devraient permettre de pallier cette difficulté.

James sentit son sang bouillir dans ses veines. Entre son emploi du temps scolaire, son programme d'amaigrissement d'urgence et ses activités de jardinage, il n'aurait plus une minute à lui.

— Des questions ? demanda Mac.

Les agents secouèrent la tête et se levèrent pour quitter la pièce.

— Encore un mot, James.

— Oui, monsieur ?

Le directeur souleva la photo encadrée posée sur son bureau et la tourna dans sa direction. On pouvait l'y voir posant en compagnie de sa femme, de ses six enfants et d'un océan de petits-enfants.

— James, pourrais-tu informer ta sœur que le verre qui protège cette photographie me permet de contrôler tout ce qui se passe à la fenêtre située derrière mon bureau. Je veux voir Lauren et Bethany dans mon bureau immédiatement, mais tu peux déjà leur dire qu'elles se joindront à vous pour entretenir les pelouses jusqu'à la fin de la semaine.

5. L'arnaque

DEUX SEMAINES PLUS TARD

Le réveil sonna à cinq heures et demie. Au prix d'un effort de volonté surhumain, James parvint à se glisser hors du lit. Il enfila un survêtement et se dirigea au radar vers la piste d'athlétisme, tandis que le soleil se levait sur le campus. Il mit une heure à parcourir les vingt-cinq tours prévus par son programme d'amaigrissement. Il prit une douche puis fit ses devoirs en compagnie de Shakeel jusqu'à l'ouverture du réfectoire. Il suivit les cours de huit heures trente à quatorze heures, puis participa à un entraînement de karaté assorti d'un footing de quarante-cinq minutes.

Écrasé de chaleur, James engloutit un demi-litre de jus d'orange puis prit la direction du parking des motoculteurs. Juché sur l'un des engins, il sillonna les pelouses du campus en plein soleil, les yeux rougis par le pollen, jusqu'à dix-huit heures quinze.

Pendant le dîner, abruti de fatigue, il ne prit pas part

au traditionnel concert de ragots et de plaisanteries. La plupart des agents avaient déjà terminé leurs devoirs, mais ses travaux de jardinage ne lui avaient pas encore laissé le temps d'ouvrir un manuel. En théorie, l'emploi du temps prévoyait une plage de deux heures pour le travail personnel. Certains professeurs tenaient compte de cette contrainte. D'autres avaient des exigences démesurées, impossibles à remplir dans un temps aussi bref.

James regagna sa chambre à dix-neuf heures passées. Il s'assit à son bureau, ouvrit ses livres et consulta son cahier de textes. Depuis son retour au campus deux semaines plus tôt, il avait accumulé un retard considérable.

C'était une soirée chaude et agréable. Il ouvrit la fenêtre et une brise tiède fit vibrer les lamelles des stores. Ses paupières étaient lourdes et les mots de son manuel s'embrouillaient dans son esprit. Il pencha lentement la tête vers le bureau et s'assoupit avant d'avoir pu écrire le moindre mot.

∴

— Réveil, dit Kyle en tirant James par l'oreille.

Ce dernier se redressa, ouvrit les yeux et jeta un regard embrumé à son camarade. Il consulta sa montre. Il était vingt-deux heures.

— Oh non, gémit-il, stupéfait. Si je ne finis pas cette rédac d'histoire avant demain matin, je suis un homme mort. Je dois gratter mille mots, et je n'ai même pas lu le premier chapitre du bouquin.

— Demande un délai, suggéra Kyle.

— C'est déjà fait. Deux fois. Chaque jour, je dois courir dix kilomètres avant le début des cours et tondre la pelouse dans l'après-midi. Les journées ne sont pas assez longues. J'ai passé tout mon dimanche à bosser, et je suis toujours en retard.

— Tu devrais parler à Meryl.

— J'ai essayé. Elle a dit que je ne devais pas être si débordé que ça, vu que je trouvais le temps de venir me plaindre dans son bureau.

Kyle éclata de rire.

— Je te jure qu'ils essaient de me tuer, geignit James.

— Mais non. Ils essaient de te donner le sens de la discipline. Après un mois de ce traitement, tu réfléchiras à deux fois avant d'enfreindre les règles. Tu es seul responsable de cette situation. Les instructeurs te demandaient juste de rester en forme pendant les vacances et d'étudier l'ordre de mission d'une petite simulation de prise d'otages. Tout le monde t'avait averti : moi, Kerry, Meryl, Amy... Mais tu penses toujours que tu es plus malin que tout le monde.

James était furieux. D'un ample geste du bras, il envoya valser les livres et les stylos qui se trouvaient sur le bureau.

— Excellente réaction, lança Kyle. Voilà qui va régler tous tes problèmes.

— Épargne-moi une nouvelle leçon de morale, tu veux ? Je suis tellement crevé que j'arrive à peine à garder les yeux ouverts. Ça me rend malade d'entendre tout le monde répéter que j'avais été prévenu.

— C'est quoi, le sujet de ton devoir ?

— La fondation de l'Intelligence Service et son rôle au cours de la Première Guerre mondiale.

— Intéressant.

— Je préférerais avaler un saladier de lombrics.

— Je crois que je pourrais t'aider, mon petit. J'ai suivi ce cours, il y a deux ans. J'ai mes vieilles notes et une rédac toute faite dans mes archives.

— Merci, vieux. Tu me sauves la vie.

— Ça nous fera dix livres.

— *Quoi* ? s'étrangla James. Tu profites de ma situation pour te faire du fric sur mon dos ? Et tu prétends être mon ami ?

— Cette rédac est un chef-d'œuvre, mec. Elle m'a valu un A. La fille sur laquelle je l'ai recopiée fait aujourd'hui des études d'histoire à Harvard.

— Cinq livres, dit James. Je vais devoir couper des parties et tout réécrire à la main. Ça va me prendre au moins une heure.

— Tu préfères y passer la nuit ? Franchement, à ce prix-là, je suis pris à la gorge. Bon, vu que je suis un peu fauché, je te la laisse pour cinq livres, payables immédiatement.

James tira un billet d'une boîte en fer-blanc. Kyle empocha la monnaie.

— Cette rédac a intérêt à être géniale.

— Fais-moi confiance. Cela dit, je ne suis pas venu superviser tes devoirs. Il y a une grosse mission dans l'air et j'ai été désigné agent senior. On a besoin de trois autres équipiers. J'en ai discuté avec Ewart Asker, et il y a une place pour toi, si ça te branche.

James ne se montra pas très enthousiaste.

— Je ne veux plus travailler avec Ewart comme contrôleur de mission. C'est un psychopathe.

— Pourtant, il t'adore. Il pense que tu as fait un boulot sensationnel lors de ta première opération. En plus, sa femme sera des nôtres. Devant elle, c'est un véritable agneau.

— Et le reste de l'équipe ?

— Moi. Kerry, si elle se remet comme prévu. Il y a une place pour une autre fille. J'avais pensé à Gabrielle, mais elle est retenue en Afrique du Sud.

— Nicole Eddison, lâcha James.

— Qui ça ?

— Tu la connais. Elle faisait partie du même programme d'entraînement initial que moi, et elle a abandonné au bout de vingt-quatre heures. Elle a obtenu le T-shirt gris à sa seconde tentative. Je crois qu'elle a déjà participé à une ou deux missions.

— Je vois de qui tu parles. C'est cette fille avec une énorme poitrine ?

— Énorme et magnifique, précisa James avec un large sourire.

— Tu ne peux quand même pas sélectionner un agent en fonction de la taille de ses seins.

— Et pourquoi pas ?

— Parce c'est irresponsable et horriblement macho.

— Allez, quoi. Nicole est super marrante. Elle est dans ma classe de russe, et on fout un bordel pas possible. Et puis franchement, tant que Kerry n'est pas au courant, ça ne me dérange pas une seconde d'être un macho.

— Je vais demander à Ewart d'étudier sa candidature, dit Kyle après un moment d'hésitation. Mais il prendra sa décision en fonction de ses seules compétences. Le briefing préliminaire aura lieu demain. Je te préviens, il y a un dossier monstrueux à avaler.

— Formidable, dit James d'une voix lasse. Et quand j'aurai le temps de faire tout ça ?

— Oh, je ne t'ai pas dit ? J'ai déjà tout arrangé avec Meryl. Tu devras toujours courir le matin, mais nous t'avons dispensé de certains cours, et Mac a accepté de mettre un terme à ta punition.

— Cool. Je crois que je n'aurais pas pu tenir la distance. À quels cours je vais échapper ?

— Art, russe, religions et histoire.

— Fantastique ! s'exclama James en tambourinant joyeusement du poing sur le bureau.

Soudain, son sourire se figea.

— Tu as bien dit *histoire* ?

— Ouais, répondit Kyle en hochant la tête.

— Je viens de te payer cinq livres pour un devoir.

— Tu as fait une affaire.

Furieux, James bondit de sa chaise.

— Je me fous de savoir si cette rédac mérite le prix Nobel ! hurla-il. Je n'en ai pas besoin, vu que je suis dispensé de cours d'histoire.

— Ce qui confirme le proverbe, gloussa Kyle.

— Hein ?

— Bien mal acquis ne profite jamais.

— C'est toi, mon pote, qui vas avoir du mal à profiter du fric que tu m'as piqué ! hurla James en se baissant pour ramasser un stylo sur le sol. Ça va être difficile de faire des affaires avec ce Bic enfoncé par le nez jusqu'au cerveau. Rends-moi mes cinq livres !

— Mais de quoi tu parles ? Tu as un reçu ?

James saisit son camarade par les épaules et le secoua comme un prunier.

— Tu es un escroc ! Tu arnaques tes propres amis !

Kyle recula, un sourire radieux sur le visage.

— Bon, comme je suis sérieusement à court de fric, je vais te proposer un marché, même si ça va contre mes principes.

— Je t'écoute.

— Je garde les cinq livres et Nicole part avec nous en opération.

— Ça me semble honnête, dit James. Au fait, tu peux me dire un mot sur cette mission ?

— Narcotiques, lâcha Kyle.

6. Pique-nique

**** CONFIDENTIEL ****

ORDRE DE MISSION DE JAMES ADAMS, KYLE BLUEMAN, KERRY CHANG ET NICOLE EDDISON

NE PAS EMPORTER – NE PAS PHOTOCOPIER

NE PAS PRENDRE DE NOTES

Les mineurs et le trafic de stupéfiants

Les mineurs sont employés par les trafiquants de drogue du monde entier pour transporter et revendre des substances illégales. Trois raisons à cela :

1. Qu'ils soient revendeurs ou consommateurs, les mineurs sont généralement perçus comme des victimes, et non des criminels. Dans la plupart des États, les enfants encourent des peines insignifiantes, alors que les adultes arrêtés en possession d'importantes quantités de stupéfiants écopent au minimum de cinq à dix ans de prison.

2. Les mineurs fréquentent quotidiennement des établissements scolaires, où ils sont encouragés par leurs « employeurs » à distribuer des échantillons gratuits. On considère qu'un revendeur de douze ou treize ans peut atteindre sa majorité avec un carnet d'adresses de plusieurs centaines de clients fidèles.

3. Les mineurs ont de maigres sources de revenus et beaucoup de temps libre. Ils constituent une main-d'œuvre bon marché prête à effectuer des livraisons pour quelques livres, voire gratuitement, par simple goût du risque et de l'aventure.

La cocaïne

La cocaïne est une drogue extraite de la feuille de coca (à ne pas confondre avec le cacao, dont on tire le chocolat). La coca pousse en altitude dans des régions montagneuses d'Amérique du Sud. Ses feuilles sont raffinées afin d'obtenir une poudre cristalline blanche. Avant d'être distribuée aux consommateurs, elle est coupée à l'aide de substances moins précieuses, comme le lactose ou le borax, ou de produits chimiques comme les amphétamines. La cocaïne est généralement inhalée par le nez. Elle peut aussi être injectée, ou fumée lorsqu'elle est mélangée à d'autres molécules pour produire une drogue appelée crack.

Les consommateurs de cocaïne ressentent une intense sensation de confiance et de bien-être qui dure entre quinze à trente minutes. La drogue provoque une insensibilité temporaire. Elle était autrefois utilisée par les chirurgiens et les dentistes, mais elle est aujourd'hui remplacée par des anesthésiants plus efficaces.

La cocaïne ne crée pas de dépendance physique comparable à celle provoquée par l'héroïne ou le tabac, mais une forte dépendance psychologique qui pousse ses consommateurs à augmenter sans cesse les doses, provoquant des dégâts irréversibles sur leur santé : infarctus, maladies du foie et des poumons, attaques cérébrales, destruction de la cloison nasale et graves lésions buccales.

La cocaïne en Angleterre

La cocaïne était autrefois considérée comme un produit de luxe que seuls les plus aisés pouvaient s'offrir. Un utilisateur modéré se contentait alors d'un gramme par prise. En 1984, le gramme de cocaïne coûtait 200 à 250 livres. Aujourd'hui, ce prix a chuté à moins de 50 livres. Dans certaines régions de l'Angleterre, un produit de faible qualité peut être vendu 25 livres le gramme.

Les États-Unis accordent aux gouvernements d'Amérique du Sud des aides financières afin de débusquer et de détruire les plantations de coca. Pourtant, le prix de la cocaïne continue à chuter, ce qui laisse supposer que les trafiquants ne manquent pas de sources d'approvisionnement.

La majeure partie de la cocaïne qui inonde le marché anglais transite par les Caraïbes. Les peines extrêmement rigoureuses auxquelles sont systématiquement condamnés les passeurs arrêtés sur le territoire britannique n'ont pas eu d'influence notable sur l'ampleur du trafic. Les barons de la drogue n'ont aucune difficulté à recruter des individus prêts à transporter leur marchandise en échange de quelques milliers de livres et un billet d'avion.

Il est impossible d'appréhender tous les passeurs pénétrant en Angleterre. Les autorités s'efforcent désormais de viser plus haut et de capturer les chefs de gang directement responsables de ces importations. Près d'un tiers de la cocaïne disponible dans notre pays passe entre les mains d'une organisation appelée GKM, le Gang de Keith Moore.

Biographies de Keith Moore et de GKM

1964 : naissance de Keith Moore dans la ville nouvelle de Thornton, dans la banlieue de Luton, Bedfordshire.

1977 : Keith est interpellé par la police pour avoir revendu du cannabis dans la bibliothèque de son collège. Exclu de l'établissement, il débute une carrière de délinquant récidiviste, se spécialisant dans le vol de voiture et le cambriolage.

1978 : Keith s'initie à la boxe dans une maison des jeunes dirigée par JT Martin. Cet ancien boxeur reconverti dans les braquages dirige le syndicat du crime du Bedfordshire depuis 1960. Il utilise son club de boxe pour recruter de jeunes criminels.

1980 : Keith est remarqué pour la première fois par la police sur des photos de surveillance, en compagnie de JT Martin. Il y apparaît comme un jeune homme de constitution frêle qui ne semble pas à sa place parmi les membres du gang essentiellement composé de boxeurs et de videurs de boîtes de nuit.

1981 : JT Martin se sépare de son chauffeur, accusé de faire un usage excessif des amphétamines. Keith prend sa place. Il vit désormais aux côtés du chef de gang et apprend toutes les ficelles du trafic de stupéfiants.

1983 : Keith abandonne la boxe amateur au terme d'une carrière couronnée par une victoire, deux matchs nuls et huit défaites. Quelques mois plus tard, il épouse Julie Robertson, son amie d'enfance.

1985 : arrêté par la police en compagnie d'un grand nombre de ses associés, JT Martin est condamné à douze ans de prison. Keith Moore, son chauffeur depuis quatre ans, est considéré par les rescapés du gang comme un être craintif et soumis.

1986 : les anciens membres de l'organisation de JT se déchirent pour le contrôle de son empire : héroïne, cannabis, mais aussi boîtes de nuit, pubs, casinos, commerces, laveries automatiques et salons de coiffure. Keith se tient à l'écart des hostilités et s'intéresse au commerce de la cocaïne, qui ne constitue alors qu'une source marginale de revenus pour l'organisation.

1987 : le prix de la cocaïne baisse sensiblement et les importations grimpent en flèche. Keith Moore est l'un des premiers criminels d'Angleterre à réaliser que ce marché est sur le point d'exploser. Tandis que ses collègues s'entretuent pour faire main basse sur le commerce de l'héroïne et les revenus des clubs, il se rend en Amérique du Sud pour rencontrer les membres du cartel de Lambayeke, un gang péruvien. Il conclut un accord prévoyant l'importation régulière d'un gigantesque stock de cocaïne à prix réduit. Pour écouler ce surplus de marchandise, Keith met au point un service de commande par téléphone calqué sur les réseaux qui prospèrent alors aux États-Unis. Il profite du succès de deux nouvelles technologies : la téléphonie mobile et la radiomessagerie. Grâce à elles, au lieu de traîner dans les rues à la recherche d'un revendeur, les clients n'ont plus qu'à composer un numéro pour être livrés à domicile en moins d'une heure.

1988 : les revenus de Keith atteignent dix mille livres par semaine. À tout juste vingt-trois ans, cette fortune lui permet de prendre le contrôle de l'empire de JT Martin. Il évite d'avoir recours à la violence, préférant manipuler ses rivaux en les dressant les uns contre les autres. Lorsque ses manœuvres échouent, il les achète en leur offrant des parts des activités qu'il juge les moins rentables.

Keith décide d'étendre son emprise au reste du pays. Il liquide l'ancien empire de JT, ne conservant que la maison des jeunes et le club de boxe du quartier où il a grandi.

1989 : naissance de son premier fils Ringo, aujourd'hui âgé de quinze ans.

1990 : en trois années, Keith triple ses revenus. Il étend ses activités à la région de Hertford et à Londres. Il fournit de grandes quantités de cocaïne à d'autres trafiquants du Royaume-Uni et du reste de l'Europe.

1992 : Julie Moore donne naissance à des jumeaux, April et Keith Junior, aujourd'hui âgés de douze ans.

1993 : naissance d'Erin, aujourd'hui âgée de onze ans.

1998 : la carrière de trafiquant de drogue est souvent éphémère. Les signes extérieurs de richesse attirent tôt ou tard l'attention de la police et des douanes.

Malgré leurs efforts, les autorités n'ont jamais réussi à rassembler des preuves matérielles permettant de conduire à l'arrestation de Keith Moore. Plusieurs agents sont parvenus à infiltrer l'organisation et à convaincre certains de ses membres de coopérer, mais ils n'ont jamais pu établir un lien formel entre Keith Moore et le trafic de stupéfiants. Le noyau dur de GKM est composé de fidèles dévoués corps et âme à leur chef, prêts à tout pour assurer sa liberté.

2000 : le marché de la cocaïne continue à prospérer. La fortune personnelle de Keith Moore atteint vingt-cinq millions de livres. Il est accusé de fraude fiscale, plaide coupable et s'acquitte d'une amende de cinquante mille livres.

2001 : Julie Moore quitte le foyer familial après dix-huit ans de mariage. Keith conserve la maison et la garde des enfants. Julie s'installe de l'autre côté de la rue et reste en bons termes avec son ex-mari.

2003 : les forces de police lancent l'opération Sniff, la plus vaste offensive antidrogue de l'histoire de l'Angleterre. Si la mission a pour objectif officiel de démanteler le trafic de cocaïne, aucun de ses participants n'ignore que Keith Moore et GKM en constituent les cibles principales.

L'opération tourne au désastre suite à la mise au jour d'un réseau de corruption à grande échelle. Quarante officiers de police sont accusés d'avoir reçu des pots-de-vin de GKM. Huit d'entre eux sont des membres de l'opération Sniff. Le superintendant qui supervise la mission est personnellement mis en cause.

Bien que l'opération se poursuive, son efficacité est mise à mal par les luttes internes qui suivent ces accusations de corruption.

Un quotidien national résume l'affaire en ces termes : « Si ces informations venaient à être confirmées, preuve serait faite que Keith Moore bénéficie d'une protection policière plus importante que celles de la Reine et du Premier Ministre réunis. »

Aujourd'hui : en dépit d'une fortune personnelle évaluée entre trente-cinq et cinquante millions de livres, Keith Moore a évité les pièges dans lesquels tombent la plupart des grands trafiquants. Il vit avec ses quatre enfants dans une grande villa de Luton, à moins de vingt minutes de l'immeuble où il est né. Ses enfants vont au collège public. Il dirige ses affaires depuis son domicile et ne fréquente que les membres de sa famille et ses amis d'enfance. Ses seules extravagances sont une collection de Porsche et une villa à Miami, en Floride.

Objectifs de la mission

Au début de l'année 2004, ulcéré par l'échec de l'opération Sniff et les affaires de corruption qui touchent les forces de police, le gouvernement charge les services de renseignement d'infiltrer GKM au plus haut niveau. Le MI5, la branche adulte des services secrets britanniques, sollicite le concours de CHERUB.

Keith Moore est très attaché à ses quatre enfants. Les agents de CHERUB devraient être en mesure de se lier d'amitié avec ces derniers et de rassembler des informations capitales.

Plan de mission

Les contrôleurs de mission Ewart et Zara Asker emménageront dans une maison de Thornton en compagnie de leur bébé et de quatre agents de CHERUB qui prétendront être leurs enfants adoptifs. Ils prendront le nom de famille de Beckett. Pour éviter toute confusion, ils conserveront leur véritable prénom.

Objectif principal

Chaque agent doit approcher l'un des enfants Moore :
James Adams – Keith Moore (dit Junior)
Kyle Blueman – Ringo Moore
Kerry Chang – Erin Moore
Nicole Eddison – April Moore

Chaque agent sera placé dans la classe de sa cible. Il devra s'efforcer de la fréquenter à l'extérieur du collège, puis d'avoir accès à la villa de Keith Moore afin de rassembler des preuves matérielles de son implication dans le trafic de cocaïne.

Objectif secondaire

De nombreux mineurs de Thornton participent à des livraisons de cocaïne pour le compte de GKM. Les agents devront les identifier puis tâcher d'être recrutés à leur tour. La plupart de ces « employés » travaillent à temps partiel. Pour mener à bien leurs missions, ils disposent de téléphones portables et de vélos tout terrain.

Certains indices laissent supposer que ces livreurs fréquentent le club de boxe de Keith Moore. Les employés les plus fiables bénéficient d'une promotion rapide et sont chargés de transporter de grandes quantités de marchandise.

Si ces dealers occasionnels sont identifiés et approchés, ils pourront fournir des informations capitales permettant à la police de poursuivre les membres adultes de GKM.

NOTE : LE 13 AOÛT 2004, CET ORDRE DE MISSION A ÉTÉ APPROUVÉ PAR LE COMITÉ D'ÉTHIQUE DE CHERUB

PAR DEUX VOIX CONTRE UNE, À LA CONDITION QUE LES AGENTS PRENNENT CONNAISSANCE DE L'AVERTISSEMENT CI-DESSOUS :

Cette mission est classée RISQUE ÉLEVÉ. Il est rappelé aux agents qu'ils ont le droit de refuser d'y prendre part et de l'interrompre à tout moment de son déroulement. Ils courent le risque d'être exposés à des situations violentes et à des drogues illégales. TOUT AGENT AYANT, EN TOUTE CONNAISSANCE DE CAUSE, CONSOMMÉ DE LA COCAÏNE OU TOUTE AUTRE DROGUE DE CATÉGORIE A SERA IMMÉDIATEMENT ET DÉFINITIVEMENT EXCLU DE CHERUB.

.:.

Au mépris des règles en vigueur, Zara Asker les autorisa à emporter les briefings hors de la salle de contrôle afin de les étudier dans le parc en se prélassant au soleil. Elle avait étendu une nappe sur la pelouse puis y avait disposé des sandwiches et toutes sortes de petites choses à grignoter. Elle avait organisé ce pique-nique pour permettre à Joshua, son bébé de huit mois, de s'habituer à la présence de Kyle, Kerry, Nicole et James. Il était allongé sous un parasol, vêtu d'une simple couche-culotte. Kerry et Nicole se penchèrent au-dessus de lui avec de larges sourires.

— Regardez ses petits doigts ! s'exclama Kerry. Il est tellement mignon. J'ai envie de le croquer tout cru.

James était étalé sur le dos, ses lunettes de soleil sur

le nez, persuadé d'avoir l'air d'une authentique rock star. Il se demandait toujours comment Kyle était parvenu à imposer Nicole dans l'équipe.

— C'est un bébé, Kerry, lança-t-il. J'en ai vu d'autres, ils se ressemblent tous.

La jeune fille chatouilla le ventre du nourrisson.

— Regarde, c'est James, dit-elle. Tu ne trouves pas qu'il ressemble à Monsieur Grognon, aujourd'hui ?

— Boudi boudi bou, ajouta Nicole.

Ewart fit son apparition, chargé d'une glacière et de quelques bouteilles de soda. C'était un type baraqué, avec des cheveux décolorés et une demi-douzaine de boucles d'oreilles. Il portait un T-shirt Carhartt et un bermuda taillé dans un vieux jean. Zara était plus âgée que lui. Elle ressemblait à toutes les mères débordées, avec des cheveux en bataille et une chemise constellée de taches de vomi. Comme la plupart des membres de l'équipe de CHERUB, c'était un ancien agent. Elle avait fréquenté l'université puis avait travaillé pour les Nations unies avant de retourner au campus pour remplir les fonctions de contrôleuse de mission. Kyle avait participé à deux opérations sous sa responsabilité. Selon lui, elle était adorable. Ewart, en revanche, avait la réputation d'être extrêmement colérique et intransigeant.

— Eh, Nicole, dit Kyle en chassant une mouche de son assiette en carton. Tu aurais dû voir la tête de James quand il a appris que tu avais été sélectionnée pour cette mission. Il était super content.

James se redressa, stupéfait par la remarque de Kyle. Nicole se détourna du bébé.

— Ah bon ? dit-elle en souriant jusqu'aux oreilles. C'est vrai ça, James ?

Ce dernier était mort de honte. En outre, si Kerry apprenait qu'il avait versé un pot-de-vin à Kyle pour que Nicole soit sélectionnée, elle l'assassinerait, sans l'ombre d'un doute.

— Ouais, bafouilla-t-il. J'ai toujours voulu te connaître un peu mieux. Les rares fois où on s'est parlé, je t'ai trouvée vraiment... sympa.

— Merci, James. J'avais un peu peur d'être mise à l'écart. Vous êtes tous si proches les uns des autres.

Kyle sourit.

— En fait, James t'a à la bonne, si tu vois ce que je veux dire.

— Ta gueule, Kyle, protesta James.

Ce garçon avait beau être l'un de ses meilleurs amis, il avait la désagréable manie non seulement de l'arnaquer mais aussi de l'humilier en public.

— Mais c'est la vérité, insista-t-il.

— Kyle, tu te calmes, dit fermement Zara. Quant à toi, James, évite les grossièretés devant le bébé.

Ce dernier sentit le rouge lui monter aux joues.

— Je sais bien que Kyle plaisante, dit Nicole. Tout le monde sait qu'il y a quelque chose entre Kerry et toi.

— Quoi ? s'étrangla cette dernière.

— C'est des ragots, dit James. Kerry et moi avons

participé au même programme d'entraînement. On est amis, rien de plus.

Kyle éclata de rire.

— Si vous le dites, les amoureux…

— Au moins, *moi*, je suis déjà sorti avec une fille, lança James. Tu as presque quinze ans et je ne t'ai jamais vu avec une copine.

Kyle prit l'air offensé.

— J'ai déjà eu des petites amies.

James sourit. Il avait réussi à pousser son camarade dans ses derniers retranchements.

— Je te précise que les nanas que tu tripotes dans tes rêves ne comptent pas, tête de nœud.

Aussitôt, Ewart le saisit par les épaules, le souleva de terre et le fusilla du regard.

— Cinquante tours de pistes ! hurla-t-il.

— Quoi ?

— Ça t'apprendra à surveiller ton langage devant mon fils.

— Mais c'est un bébé. Il ne comprend pas un mot.

— Mais il écoute. Il écoute et il apprend. Allez, exécution !

James sentit la colère monter en lui. Il refusait de courir pendant deux heures et d'endurer des courbatures atroces le lendemain pour une faute aussi légère. Il était sur le point de dire à Ewart où il pouvait se coller sa punition lorsque Zara prit la parole.

— Mon chéri, James doit assister au briefing. Je pense que des excuses suffiront.

James, toujours suspendu dans les airs, estimait ne devoir d'excuses à personne, mais il considéra le choix qui s'offrait à lui et préféra la soumission au martyre.

— OK, dit-il. Je m'excuse.

— De quoi ? demanda Zara.

— D'avoir dit des grossièretés devant le bébé.

— Excuses acceptées. Quant à toi, Kyle, j'aimerais que tu arrêtes de faire le malin. Tu as été désigné agent senior de cette mission. Ton rôle consiste à aider les agents les moins expérimentés, pas à leur chercher des poux dans la tête.

Ewart l'ayant reposé sur le sol, James lissa ses vêtements, s'assit dans l'herbe puis commença à entasser quelques morceaux de poulet et des sandwiches au pain de mie dans une assiette en carton. Nicole vint s'asseoir près de lui et lui chipa quelques chips.

— Comme vous le savez, dit Zara, nous quitterons le campus après-demain. Prévoyez des bagages légers. Nous allons vivre à sept dans une petite maison. La rentrée au collège aura lieu mardi, ce qui nous donnera presque une semaine pour nous installer. J'ai préparé un dossier de cent soixante pages sur Keith Moore, ses associés et sa famille. Je veux que vous le lisiez et que vous mémorisiez le maximum d'informations avant notre départ.

7. Les cinglés du volant

Zara eut toutes les peines du monde à caser la poussette et le youpala dans le camion de déménagement plein à ras bord. Kerry avait emporté cinq sacs bourrés de vêtements et d'objets parfaitement inutiles, que James avait dû traîner jusqu'au parking en raison de son genou convalescent. Kyle, qui mettait un point d'honneur à porter des tenues impeccables en toute occasion, avait exigé d'emmener sa penderie de voyage, ses huit paires de chaussures et sa propre planche à repasser. Ewart, à bout de nerfs, employait un vocabulaire dont un seul mot aurait condamné James à quelques milliers de tours de piste.

— Démerdez-vous comme vous voudrez, mais je ne ferai qu'un voyage ! hurla-t-il.

Seul James avait suivi les recommandations de Zara. Son sac à dos ne contenait que quelques affaires de toilette, des baskets de rechange, un blouson et quelques vêtements. Sa PlayStation et sa télé étaient parties la veille pour Thornton, à bord du camion chargé d'acheminer les meubles.

Lauren, en larmes, déboula sur le parking et se jeta dans ses bras. James leva les yeux au ciel et poussa un profond soupir.

— Qu'est-ce qu'il y a encore ?

Le T-shirt de la petite fille était trempé de sueur.

— C'est juste que…

James lui caressa doucement le dos.

— Quelqu'un t'a fait du mal ?

— Je vais avoir dix ans dans deux semaines, expliqua-t-elle. Je n'arrête pas de penser au programme d'entraînement initial.

Lauren avait une réputation de dure à cuire, mais, dans les situations difficiles, elle trouvait toujours refuge auprès de son frère.

— J'ai survécu à ce programme, dit-il, sentant l'émotion le gagner à son tour. Je n'avais jamais fait de karaté et je ne savais même pas nager. Vu l'entraînement que tu as reçu en un an, tu es cent fois mieux préparée.

Lauren se sécha les yeux dans son T-shirt. Kerry lui tendit un Kleenex.

— Vous venez, oui ou non ? brailla Zara en montant à bord du minibus. Il vaudrait mieux pour nous tous qu'on arrive à Thornton avant que Joshua ne réclame son biberon.

— Je ne veux pas que tu t'en ailles, gémit Lauren.

— Bethany sera avec toi, dit James. Vous serez sans doute partenaires. Je suis certain que vous allez très bien vous en sortir.

Kerry serra à son tour la fillette dans ses bras.

— N'aie pas peur. Dans quatre mois, le programme d'entraînement sera un lointain souvenir, et tu seras qualifiée pour partir en mission.

— Ouais, j'espère, répondit Lauren avec un sourire timide.

— Ça te dirait de venir nous voir à Thornton pour ton anniversaire ? demanda James. Je pourrais en parler à Ewart et Zara.

— Tu crois qu'ils me donneraient l'autorisation ?

— Bien sûr. Ça te permettra de découvrir la vie d'une équipe en opération.

— Allez, vas-y, ils t'attendent, dit la petite fille en essuyant ses yeux avec le mouchoir en papier. En fait, je ne sais même pas pourquoi je pleure. Je me sens tellement nulle.

James l'embrassa sur la joue puis grimpa à l'arrière du minibus. Kyle se pencha à la fenêtre et cria :

— Tu vas y arriver, Lauren. Et surtout, un bon conseil : pendant le programme, ne perds jamais une occasion de dormir.

James claqua la portière et attacha sa ceinture de sécurité.

— Excuse-moi d'avoir crié, James, dit Zara. Je n'avais pas réalisé que Lauren était aussi triste. Tu crois que ça va aller ?

— Oui, je pense.

Lauren les salua de la main jusqu'à ce que le véhicule disparaisse de son champ de vision. James était ému, mais il ne se faisait pas de souci. Sa sœur était intelligente et en pleine forme physique. Seule une grave blessure pouvait compromettre sa réussite.

.:.

Ewart et Nicole voyagèrent à bord du camion de déménagement. Kyle avait pris place sur le siège avant du minibus, aux côtés de Zara. James et Kerry s'étaient installés sur la banquette arrière, de part et d'autre du siège de Joshua. Ce dernier s'éveilla une heure avant leur arrivée. Kerry proposa de le nourrir, mais le bébé se débattit en poussant des cris perçants, s'empara du biberon et le jeta sur le sol. Elle confia l'enfant à James pour ramasser l'objet qui avait roulé à ses pieds.

Aussitôt, il cessa de hurler. Kerry tendit le biberon à son camarade et le bébé commença à téter calmement.

— Eh, on dirait qu'il t'aime bien, James, dit Zara en souriant. Entre nous, je me demande vraiment pourquoi. En tout cas, ton rôle dans cette mission est tout trouvé.

— Kerry l'a sûrement traumatisé, pendant le pique-nique, avec toutes ses grimaces, ajouta Kyle.

James ne s'était jamais occupé d'un nourrisson. Il était anxieux à l'idée de commettre une maladresse, de faire du mal à Joshua ou de se retrouver couvert de lait caillé. Contre toute attente, il parvint habilement à éponger quelques filets de lait avant qu'ils ne tachent ses vêtements, et remplit sa mission avec succès. Le bébé se mit à jouer avec le lacet de son short. James finit par s'habituer à sa présence, puis se surprit à trouver apaisant le contact du petit corps tiède qui se tortillait sur ses genoux.

.:.

Un tiers des maisons de Thornton étaient inhabitées. Portes et fenêtres étaient obstruées par des planches. Ces habitations étaient devenues invivables depuis le développement de l'aéroport de Luton, situé à quelques kilomètres de là. De temps à autre, un avion de ligne grondait au-dessus de leurs têtes. Le sol tremblait et l'air s'emplissait d'une épouvantable odeur de kérosène.

Nul ne s'installait à Thornton par choix. Sa population était un mélange de demandeurs d'asile, d'étudiants fauchés, de repris de justice et de familles surendettées.

Un groupe de jeunes interrompit sa partie de football pour laisser le minibus s'engager dans la rue où se trouvait le pavillon loué par les autorités de CHERUB. Ewart et Nicole étaient arrivés quelques minutes plus tôt. La jeune fille avait déjà déballé quelques mugs et préparait du thé dans la cuisine.

La maison était équipée de fenêtres à triple vitrage destinées à limiter les nuisances sonores, mais comme il faisait trop chaud pour les garder closes, elles n'avaient aucune influence sur les vibrations.

Il n'y avait que trois chambres pour sept occupants. Kyle et James s'installèrent dans une pièce exiguë meublée de lits superposés, d'une commode et d'une petite armoire.

— Ça nous rappellera le bon vieux temps, dit James en référence à la minuscule chambre de l'orphelinat où il avait rencontré Kyle, juste avant de rejoindre CHERUB.

— Je n'ai pas de place pour suspendre mes fringues, gémit son camarade. Elles vont être complètement froissées.

— Tu peux prendre toute l'armoire, dit James. J'entasserai mes affaires sous le lit.

— Je te préviens, si tu laisses traîner des trucs sales, je m'en débarrasserai. Je me fous qu'il s'agisse d'une chaussette ou d'une paire de baskets, si ça pollue l'atmosphère, ça passe à la poubelle.

James éclata de rire.

— J'avais oublié à quel point tu te comportais comme une gonzesse !

∴

Zara prépara le dîner pour toute l'équipe. Au menu, poisson pané, chips et petits pois surgelés.

— Désolée, dit-elle en posant les plats sur la table basse du salon. Il va falloir vous y habituer. La cuisine, c'est pas vraiment mon truc.

Les agents, affalés dans des canapés, ne détournèrent pas le regard de la télévision. James engloutit une chips trempée dans le ketchup. Soudain, un fracas métallique se fit entendre à l'extérieur. Ils posèrent leurs couverts et s'agglutinèrent devant la fenêtre. La pelouse était jonchée d'ordures et une poubelle roulait dans le caniveau. Deux garçons remontaient la rue en courant. Ewart se lança à leur poursuite, mais les fauteurs de trouble disparurent dans une allée latérale. Il rejoignit le salon et éteignit la télé.

— Eh, c'est l'heure de *Friends*, protesta Kerry.

— Pas ce soir, dit-il. Vous avez une mission à accomplir.

— Allez traîner devant la maison et essayez de vous mêler aux autres jeunes, précisa Zara. Vu la faune locale, je vous demande de ne pas vous disperser. Et je veux que vous soyez rentrés à la tombée de la nuit.

— Au fait, James, ajouta Ewart, tu me feras le plaisir de ramasser les ordures.

— Pourquoi moi ?

Le contrôleur de mission lui adressa un sourire glacial.

— Parce que je l'ai décidé.

∴

C'était la fin des vacances d'été et le quartier grouillait de gamins désœuvrés. James et Kyle se joignirent à des garçons qui jouaient au football au milieu de la rue. Kerry et Nicole engagèrent la conversation avec un groupe de filles de leur âge. Au bout d'une heure, les quatre agents furent invités à faire un tour dans le parc voisin.

C'était un espace vert sans charme : un abri de gardien recouvert de graffitis, un tourniquet rouillé, un portique et un toboggan. Des jeunes du quartier âgés de dix à seize ans s'y étaient rassemblés dès que le jour avait commencé à décliner. Par groupes de quatre ou cinq, ils fumaient, se disputaient et produisaient un vacarme effrayant. L'atmosphère était électrique. Des petits frimeurs, tout droit sortis de pubs pour Nike, côtoyaient des demandeurs d'asile portant des vêtements dénichés dans les vestiaires des associations caritatives. Les garçons roulaient des mécaniques devant les filles. Une rumeur insistante circulait : une bande venue d'un quartier rival s'était mise en route pour le parc, bien décidée à en découdre. James et Kyle apprirent qu'un gamin avait été poignardé deux mois plus tôt. Il avait récolté entre huit et deux cents points de suture, selon la version de l'incident à laquelle on choisissait de porter crédit.

— Qu'est-ce qu'on s'emmerde… lâcha Kerry. Et si on rentrait à la maison ?

— Vas-y si tu veux, dit James. Moi, je reste. Il paraît qu'il va y avoir une bagarre. Je ne veux pas manquer ça.

— On ferait mieux de ne pas traîner dans le coin. J'ai vu deux garçons jouer avec des couteaux. Il fait presque nuit, et Zara nous a demandé de rentrer avant que…

— Bla bla bla. Zara ceci, Zara cela. Détends-toi un

peu, Kerry. Ne me dis pas que tu es la seule personne au monde à respecter les couvre-feux.

La jeune fille se tourna vers Nicole dans l'espoir de recevoir son soutien.

— Et toi, tu viens ?

— Non. Pas au moment où on va enfin s'amuser.

Vingt minutes plus tard, la sonnerie d'un téléphone portable retentit, puis une vive agitation s'empara de l'assistance.

— Qu'est-ce qui se passe ? demanda Kerry.

— Les cinglés du volant, expliqua un inconnu. Ils ont piqué une bagnole. Il va y avoir du spectacle.

Alors, tous les jeunes du quartier se ruèrent vers un parking désert situé à quelques centaines de mètres de là. Des phares déchirèrent l'obscurité au bout de la rue, provoquant un concert d'acclamations. C'était une Subaru Impreza gris métal équipée d'un énorme aileron arrière. Le pilote effectua une série de demi-tours au frein à main et une odeur de gomme brûlée emplit l'atmosphère. Il finit par percuter un muret de béton, endommageant gravement le flanc gauche du véhicule, et faillit renverser deux jeunes filles qui observaient la scène, à califourchon sur leur bicyclette. Le public manifesta bruyamment son enthousiasme.

— Ils sont carrément fêlés, gloussa James. J'aimerais bien être à leur place.

Kerry lui jeta un regard méprisant.

— C'est tellement débile. Ils pourraient se tuer, ou renverser un passant innocent.

— Lâche-toi un peu, Kerry. Tu n'as pas encore quatre-vingts ans.

La Subaru s'immobilisa dans un crissement de pneus. Le conducteur et le passager avant, deux garçons âgés d'une quinzaine d'années, descendirent du véhicule et échangèrent leurs positions.

— Où sont nos nanas ? hurla l'un d'eux.

Deux minettes habillées comme des stars de *MTV* fendirent la foule, coururent vers le véhicule puis prirent place sur la banquette arrière. Le conducteur écrasa la pédale d'accélérateur et le bolide reprit sa course folle dans les rues du quartier. Il effectua un dérapage contrôlé à l'angle d'un bâtiment, puis disparut du champ de vision des spectateurs. Ces derniers, haletants, écoutèrent attentivement les rugissements lointains du moteur. Quelques secondes plus tard, les cinglés du volant revinrent faire un tour de piste sur le parking pour saluer leurs admirateurs.

Soudain, une sirène de police retentit. James espérait pouvoir assister à une poursuite automobile, mais la Subaru pila net. Les deux garçons quittèrent le véhicule à la hâte et se mêlèrent à la foule des spectateurs. Trois voitures de police apparurent au bout de la rue.

Le public détala sans demander son reste. L'un des garçons avec qui James avait joué au football le tira par la manche.

— Cassons-nous, dit-il affolé. Ces salauds arrêtent tous ceux qui leur tombent sous la main.

Kerry, Kyle et Nicole avaient déjà pris leurs jambes à

leur cou. James s'engagea dans une allée, mais toutes les rues de Thornton semblaient identiques et il se sentait désorienté. Il atteignit une place pavée où débouchaient six artères bordées de pavillons anonymes.

— Tu sais où est la maison ? fit une voix dans son dos.

Il fit volte-face et constata avec soulagement que Kyle, Kerry et Nicole, visiblement hors d'haleine, se trouvaient derrière lui.

— Demandons notre chemin à la police, suggéra Kerry.

— Tu es débile ou quoi ? s'exclama-t-il en se frappant le front. Je te rappelle qu'ils recherchent deux mecs et deux nanas. Si on tombe sur eux, on est cuits.

La jeune fille semblait déroutée.

— Mais James, nous n'avons pas volé cette voiture.

— Ce que tu peux être naïve, ricana Kyle. Dans un quartier comme celui-là, c'est pas le grand amour entre les flics et la jeunesse. Tu as vraiment envie de passer la nuit au poste ?

— Rien de tout cela ne serait arrivé si on était rentrés à la maison. Je vous avais prévenus.

— Oh, par pitié, arrête de nous faire la leçon, soupira James.

— Bon, où est-ce qu'on va ? demanda Nicole.

∴

Par chance, ils retrouvèrent le chemin du pavillon

dès leur deuxième tentative, et ne croisèrent pas de patrouille de police. Ils pénétrèrent dans la cuisine, persuadés d'essuyer une sévère remontée de bretelles. Leurs contrôleurs de mission y prenaient le thé en compagnie d'un couple de personnes âgées.

— Ah ! enfin, vous voilà, petits monstres, dit Zara en souriant.

— En retard, comme d'habitude, ajouta calmement Ewart. Les enfants, je vous présente nos voisins Ron et Georgina. Ils ont apporté des biscuits pour nous souhaiter la bienvenue.

— Servez-vous, dit la vieille femme. Allez, n'ayez pas peur, j'ai remporté des concours de pâtisserie avec ces gâteaux.

Tour à tour, les quatre agents plongèrent la main dans la boîte de fer-blanc. Les cookies avaient un goût étrange, comme s'ils avaient été confectionnés en 1937, mais il était impossible de les cracher à la poubelle devant leur nouvelle voisine.

— Délicieux, dit James, impatient d'engloutir un litre d'eau pour dissiper leur goût infect.

— Tu en veux un autre ? demanda la femme.

Zara posa le couvercle sur la boîte.

— Non, dit-elle. Il est tard. Habituellement, je leur interdis de se gaver de sucreries avant de se mettre au lit. C'est mauvais pour les dents.

Les agents lui adressèrent un regard reconnaissant puis quittèrent la cuisine.

— Et ne faites pas de bruit en montant. Joshua dort.

Ils montèrent à la salle de bains puis firent la queue devant le robinet pour se rincer la bouche et se gargariser avec du dentifrice.

— Ce truc immonde m'a complètement desséché la langue, dit Kerry.

— Je suis sûr qu'elle sait qu'ils sont immangeables, ajouta Kyle. C'est une pure sadique.

— Qu'elle crève, cette vieille folle, lança Nicole.

— Tu es un peu extrême, fit observer James avec un sourire amusé.

— Je peux pas supporter les vieux, dit-elle. On devrait abattre tous les êtres humains de plus de soixante ans.

— Ma grand-mère était géniale. Elle me gavait de KitKat. J'étais son chouchou. Elle n'a jamais beaucoup aimé Lauren.

Kerry poussa un grognement.

— Une lourde erreur de jugement, si tu veux mon avis. Quand est-elle morte ?

— Quand j'avais dix ans.

— Au fait, ta sœur va mieux ?

— Je sais pas. Je vais lui passer un coup de fil avant de me coucher.

Après s'être déshabillé, James grimpa dans le lit superposé et téléphona à sa sœur depuis son mobile. Honteuse d'avoir fait preuve de faiblesse, cette dernière mit un terme à la conversation après un bref échange de propos insignifiants.

8. Présentations

En ce jour de rentrée, les abords du collège Grey Park de Luton grouillaient d'élèves aux cheveux coupés court et aux uniformes mal ajustés, des vêtements trop larges achetés par des parents déshérités craignant une brutale poussée de croissance de leur progéniture. Kyle, fidèle à son habituelle maniaquerie, avait proposé de repasser ceux de ses camarades. James avait oublié à quel point il était pénible de porter une veste et une cravate. Il se consola en reluquant Nicole du coin de l'œil. Avec sa chemise blanche cintrée et sa cravate savamment dénouée, elle était irrésistible. Elle avait modifié l'ourlet de sa jupe, si bien qu'elle était deux fois plus courte que celle de Kerry.

James avait fréquenté plusieurs établissements depuis la mort de sa mère. Grey Park était à l'évidence le pire de tous. Il y flottait une odeur écœurante d'urine et de cire d'abeille. Les rideaux et les murs étaient constellés de chewing-gums séchés. La moitié des élèves ne portaient pas d'uniforme. Un aquarium, où flottaient des poissons morts et une chaise en plastique, décorait le hall d'entrée.

James quitta les autres agents pour rejoindre sa classe. Il reconnut aussitôt Junior Moore, assis au dernier rang en compagnie d'un camarade. À en juger par l'aspect négligé de leur tenue et la façon dont ils posaient leurs pieds sur leur table, ils faisaient tout pour que les autres élèves les regardent comme des caïds.

James devait se montrer prudent. S'il se présentait à eux pour leur offrir son amitié sans détours, il ne récolterait que leur mépris. Il lui fallait faire preuve de subtilité et gagner leur considération en affichant un comportement scolaire affligeant.

Le professeur pénétra dans la salle de classe. Mr Shawn était un petit homme vêtu d'un costume beige qui semblait très satisfait de lui-même. C'était le prototype de l'enseignant dont la seule vue provoquait une irrésistible envie de chahuter, pour le simple plaisir de le voir perdre le contrôle de ses nerfs.

— OK ! s'exclama Mr Shawn en laissant tomber lourdement un livre sur son bureau pour attirer l'attention de ses élèves. Les vacances sont terminées. Bienvenue en cinquième. Veuillez vous asseoir.

James prit place à une table libre de la rangée centrale. Un type étrange, anormalement grand et maigre, s'assit à ses côtés. Son uniforme était étroit et sa démarche étrange, comme si ses jambes s'efforçaient de l'entraîner simultanément dans six directions contradictoires.

— Tu es nouveau ? demanda-t-il. Moi, c'est Charles.

James n'avait pas l'intention de se montrer désagréable, mais cet épouvantable ringard risquait de lui faire perdre toute chance de se lier à Junior.

— Je peux te faire visiter le collège, si tu veux, continua le garçon.

— Te fatigue pas, répliqua sèchement James. Je vais me débrouiller. Mais merci pour ta proposition.

Contrairement aux autres élèves, Charles ne possédait pas de sac à dos mais un cartable de cuir brun. À en croire le son qu'il produisit lorsqu'il le posa sur le sol, il devait contenir une paire de parpaings. Il se pencha sur le bureau et commença à se gratter frénétiquement le dessus de la main. Une pluie de peaux mortes s'abattit sur la table.

— Je fais de l'eczéma, expliqua-t-il. L'été, quand je transpire, c'est encore pire.

Mr Shawn distribua des emplois du temps tout en vantant les fantastiques opportunités d'épanouissement personnel offertes par les clubs d'échecs et de théâtre. James n'avait passé qu'une dizaine de minutes à Grey Park, mais il ressentait déjà le besoin irrépressible de s'enfuir en courant pour aller trouver refuge dans les collines. Il s'était habitué au système d'enseignement performant de CHERUB, et il lui semblait que tout, dans ce collège, fonctionnait au ralenti.

Charles semblait s'ennuyer, lui aussi. Il sortit une pomme de son cartable et mordit dedans à pleines dents. Mr Shawn interrompit son discours et lui lança un regard courroucé.

— Charles, peux-tu m'expliquer ce que tu es en train de faire ?

— Ben je mange une pomme, répondit le garçon, comme si on venait de lui poser la question la plus stupide qui soit.

— On ne mange pas en classe ! s'exclama Mr Shawn.

Tous les autres élèves se mirent à glousser. Ils considéraient Charles comme le loser de la classe. Ils secouaient la tête avec un air entendu. James entendit fuser les mots *mongol* et *débile*.

— Mets-moi ça à la poubelle, Charles.

Le garçon croqua une dernière fois dans le fruit puis le jeta en direction de la poubelle métallique située derrière le bureau de Mr Shawn. Il manqua son tir, se traîna jusqu'à l'estrade et se baissa pour ramasser le projectile. Alors toute la classe put constater que son pantalon était déchiré aux fesses et admirer son slip vert amande.

— T'es trop sexy, Charles ! cria une fille.

— La première fois qu'il l'a mis, s'exclama un garçon, il était blanc !

Les élèves éclatèrent de rire.

Charles rata sa cible à moins d'un mètre, perdit le contrôle de ses nerfs et envoya valser la poubelle contre le mur d'un coup de pied maladroit.

— Du calme ! cria Mr Shawn.

— J'aime pas les poubelles, grogna Charles en foulant l'objet du talon.

— Retourne à ta place, si tu ne veux pas que je te colle une retenue.

Le garçon quitta l'estrade en titubant.

.:.

À la sortie du cours, Junior et son camarade s'approchèrent de James et de son encombrant ami.

— Alors, on t'a manqué pendant les vacances ?

Le garçon resta sans réaction. Junior saisit son poignet et lui tordit violemment le pouce.

— Tu nous as ramené un souvenir ? demanda-t-il en accentuant sa pression jusqu'à ce que le visage de sa victime se torde de douleur.

— Non, répondit Charles d'une voix étranglée.

— Espèce d'égoïste. Tu mériterais des baffes.

Sur ces mots, il lâcha la main de son souffre-douleur et le gifla. Ce n'était pas une claque appuyée, mais un geste extrêmement humiliant.

— Tu nous présentes pas ton nouveau copain ?

Junior se tourna vers James et le bouscula légèrement. Ce dernier constata que son adversaire était un peu plus petit que lui, mais que ses bras et ses épaules étaient étonnamment musclés. En outre, il avait à ses côtés un camarade prêt à lui venir en aide.

James était nerveux. Au cours de sa formation à CHERUB, il avait appris que le premier contact avec un objectif était fondamental. S'il faisait preuve de faiblesse, Junior le considérerait comme un être méprisable, et il lui serait impossible de devenir son ami. À l'inverse, s'il lui infligeait une correction, ils pourraient devenir des ennemis mortels. Il devait faire preuve d'équilibre et de subtilité.

— Je te déconseille de refaire ça, lâcha-t-il d'un ton détaché.

Junior se tourna vers son camarade, un large sourire sur le visage.

— Tu as entendu, Del ? ricana-t-il. On dirait que le nouveau joue les gros durs.

Junior essaya de s'emparer du poignet de James. Ce dernier se déroba habilement puis planta deux doigts entre les côtes de son agresseur, occasionnant un spasme extrêmement douloureux.

— Trop lent, dit-il en secouant la tête avec mépris.

Junior lui adressa un violent crochet à l'estomac. James, le souffle coupé, fut sidéré par la force de ce coup. Pris de colère, il balaya les jambes de son rival et lui fit perdre l'équilibre. Les autres élèves reculèrent, s'attendant à voir éclater une violente bagarre.

James se planta au-dessus de Junior, les poings serrés, le mettant au défi de se relever. Il lut de la soumission dans le regard de son adversaire. Ils se dévisagèrent en silence pendant de longues secondes. Enfin, il lui tendit la main en souriant.

— Je crois que tu n'as pas choisi la cible la plus facile, lança-t-il.

Junior semblait furieux mais accepta son aide.

— Où est-ce que tu as appris à te battre ? demanda-t-il en époussetant son uniforme.

— C'est Zara, ma mère adoptive. Elle est prof de karaté.

— Cool. Tu es quel niveau ?

— Ceinture noire, bien sûr. Et toi ? Qui t'a appris à cogner ?

— Je fais de la boxe. Je n'ai jamais perdu. Huit combats, huit victoires.

— Ça te dérange si je m'assois près de toi au prochain cours ?

— On est dans un pays démocratique, dit le garçon en haussant les épaules. Mon nom, c'est Keith, mais comme c'est aussi le nom de mon père, tout le monde m'appelle Junior. Mon pote, là, c'est Del.

— Moi, c'est James. Merci de m'avoir sauvé la vie. Je tiens pas à ce que ce taré de Charles s'assoie à côté de moi toute l'année.

Il était très satisfait de lui-même. Il ne lui avait fallu qu'une heure pour briser la glace. Junior lui adressa une claque amicale dans le dos.

— T'assures grave, James, dit-il. C'est quoi, le cours suivant ?

Del sortit son emploi du temps de sa poche.

— Histoire.

— Rien à foutre, dit Junior. Et cet après-midi ?

— Maths et français.

— Pas vraiment mon truc. On se fait la malle, Del ?

Ce dernier afficha une mine anxieuse.

— Je sais pas trop. Je crois qu'on devrait pas sécher le jour de la rentrée. Si mon père l'apprend, je suis bon pour le cimetière.

— Tu fais comme tu veux, Moi, je ne vais pas rester emmuré dans une salle de cours toute la journée. Il fait super beau. Tu viens avec moi, James ?

— Où ça ?

— Je sais pas. On pourrait aller au Burger King et traîner au centre commercial.

— Ça peut pas être pire que le collège.

James adorait partir en mission, car son statut d'agent lui donnait le droit d'enfreindre toutes les règles pourvu que ces violations soient utiles à ses activités d'espionnage.

•:•

Les deux garçons escaladèrent la grille à l'arrière du collège. Ils coururent sur une centaine de mètres, puis Junior ôta sa veste, sa chemise et son pantalon. Il portait un T-shirt puma et un short sous son uniforme.

— Quand tu sèches, expliqua-t-il, vaut mieux te débarrasser de ton uniforme. Ça t'évite de tomber sur un vieux salaud qui reconnaît l'écusson sur ta veste et court te dénoncer au secrétariat du collège.

— Pas con. Mais je n'ai rien sous mes fringues. Je ne vais quand même pas me balader en caleçon.

— Tu veux aller au centre commercial ?

— C'est sympa ?

— Quoi, tu n'y es jamais allé ?

— Je suis arrivé ici il y a une semaine.

— Tu viens d'où ?

— On vivait à Londres, expliqua James, répétant consciencieusement l'histoire mise au point lors de la préparation de la mission. Mon père adoptif a trouvé un job à l'aéroport de Luton.

— Tu vas adorer. C'est à une demi-heure de bus. Il y a des magasins de sport, de jeux vidéo et une immense cafétéria.

— Ça a l'air cool. Mais j'ai que les trois livres que Zara m'a données pour déjeuner.

— Je peux t'en prêter cinq. Mais j'enverrai mes gorilles te casser les jambes si tu ne me rembourses pas.

— Merci, dit James avant d'éclater de rire.

9. Le casse du siècle

Ils traînèrent dans le centre commercial pendant près d'une heure, hypnotisés par les baskets dernier cri et les jeux vidéo qu'ils n'avaient pas les moyens de s'offrir, puis ils déjeunèrent dans un fast-food tex-mex.

— Mon père est plein aux as, dit Junior en mâchant une bouchée de burrito, mais comme radin, y a pas mieux. La version officielle, c'est qu'il ne veut pas que je devienne un fils à papa. Je pense que la plupart des fauchés de Thornton sont plus gâtés que moi.

— Eh, c'est là que je vis, dit James.

— Désolé, je savais pas. Le prends pas mal.

— Pas de problème.

— En fait, j'adore traîner à Thornton. J'y suis allé pendant les vacances, et j'ai vu des mômes lancer des briques sur les bagnoles des flics.

— Grave, gloussa James.

— C'est là que se trouve mon club de boxe. Tu connais ?

— Non.

— En fait, il appartient à mon père. Tu devrais y faire un tour. Les mecs sont supercools, là-bas.

— Pourquoi pas, dit James. Mais je suis pas sûr d'avoir envie de me faire dérouiller.

— Il suffit d'éviter d'être touché, dit Junior en souriant. C'est ça, l'art de la boxe.

— Comment ça se fait que ton père ait tant de fric ?

— C'est un homme d'affaires. Import-export. Il est millionnaire, tu sais.

James fit mine d'être impressionné.

— Sérieux ?

— Je te jure. C'est pour ça que ça me fout les boules de recevoir aussi peu d'argent de poche. Il y a six jeux PS2 que je crève d'envie de me payer. J'en aurai sûrement quelques-uns pour mon anniversaire, mais il faut que j'attende novembre.

— T'as qu'à les voler.

Junior éclata de rire.

— Ouais, c'est ça, pour finir au poste de police.

— Je connais deux trois trucs pour faucher dans les magasins. C'est comme ça que ma mère gagnait sa vie.

— Elle se faisait souvent piquer ?

— Non, jamais. Il n'y a aucun risque. Il suffit d'avoir un plan et un rouleau de papier alu.[1]

---

1. Note de l'auteur : la technique de vol décrite ici ne fonctionne qu'avec certains modèles anciens de portiques antivol. N'espérez pas que je vous donne plus de précisions. Je ne tiens pas à voir des pères furieux se pointer à ma porte pour me balancer un coup de boule sous prétexte que leur progéniture vient de se faire pincer pour vol dans un grand magasin.

— T'as fait ça souvent ?

— Oh, j'arrête pas, mentit James.

En réalité, la seule fois où il avait essayé de voler dans un magasin, un an plus tôt, peu de temps après la mort de sa mère, il avait échoué dans une cellule du commissariat.

— À quoi sert le papier alu ? demanda Junior.

— Je peux te montrer, si tu décides de tenter le coup.

— Je te suis, si tu es certain qu'on ne se fera pas pincer.

James avala une gorgée de Coca.

— On ne peut pas être sûr à cent pour cent, mais je n'ai jamais eu de problème.

Il pensait que ce casse était un excellent moyen de cimenter son amitié avec Junior. S'ils s'en tiraient avec succès, il apparaîtrait comme un héros à ses yeux et pourrait rapidement s'inviter chez Keith Moore pour quelques parties de PlayStation. S'ils se faisaient pincer, cette expérience douloureuse leur permettrait sans doute de se rapprocher.

James n'avait pas grand-chose à craindre. Au pire, la police arrêterait James Beckett, un garçon qui n'existait pas. Dès sa mission achevée, les autorités de CHERUB feraient disparaître toute trace de l'affaire, afin qu'aucune fiche de renseignement, aucune empreinte digitale ou trace ADN ne permette de remonter jusqu'à James Adams.

Ils achetèrent un rouleau de papier aluminium dans un magasin d'alimentation puis s'enfermèrent dans des toilettes. James tapissa l'intérieur de son sac à dos d'une double couche de métal.

— Ça sert à quoi ? demanda Junior.

— Tu vois les alarmes qui se déclenchent dès que tu sors d'une boutique sans payer ?

Son camarade hocha la tête.

— Ce sont des portiques composés de deux parois entre lesquelles circule un champ magnétique continu. Les étiquettes métalliques collées sur les articles perturbent ce signal. Mais le papier alu les rend inopérantes.

— Génial, dit Junior, tout sourire.

— Seulement, il faut qu'on trouve un magasin où ils laissent les jeux dans les boîtes, pas derrière le comptoir.

— Chez *Gameworld*, ça devrait marcher.

— Bon, voilà ce qu'on va faire. J'entre le premier et tu me laisses le temps de remplir le sac. Ensuite, tu te pointes et tu détournes l'attention des vendeurs et de l'agent de sécurité.

— J'ai un peu la trouille. Si on se fait prendre, mon père va me crucifier.

— Fais-moi confiance. Tu n'as rien à craindre. C'est moi qui vais prendre tous les risques.

Les deux garçons quittèrent les toilettes et se dirigèrent vers *Gameworld*. James passa devant le vigile et marcha droit jusqu'au rayon PlayStation situé au fond du magasin. Il baissa la fermeture Éclair de son sac à dos et y glissa quatre des jeux réclamés par Junior. Il jeta un coup d'œil à l'entrée. L'agent de sécurité se curait le nez, le regard dans le vide. Le vendeur composait un SMS. C'était trop facile. Il fit main basse sur cinq boîtes supplémentaires puis referma son sac.

Junior entra dans le magasin et s'adressa au vigile. Ce dernier tendit le bras en direction du rayon DVD. James se dirigea vers la sortie en s'efforçant de ne pas accélérer le pas, mais son rythme cardiaque s'emballa. Au moment où il franchit le portique antivol, une alarme stridente retentit.

Aussitôt, l'agent de sécurité le saisit par les épaules puis s'efforça de le tirer à l'intérieur du magasin. Junior, que personne ne soupçonnait de complicité, aurait pu laisser faire. Pourtant, il bondit sur le vigile et le frappa à la tempe. James le mit hors de combat d'un crochet à l'estomac, et les deux garçons prirent leurs jambes à leur cou.

Le vigile de la boutique d'en face, qui avait assisté à la scène, se lança à leur poursuite en braillant dans son talkie-walkie.

— Espèce d'abruti ! hurla Junior tandis qu'ils fendaient la foule. Quel plan génial.

James ignorait quelle erreur il avait commise. Deux autres agents de sécurité surgirent d'un grand magasin, droit devant eux, bien décidés à leur bloquer le passage. Les deux garçons s'engouffrèrent dans une boutique de vêtements féminins, un véritable labyrinthe de rayonnages et de penderies. James percuta une cliente qui poussait un landau et la vit s'écrouler dans un présentoir où étaient exposés des collants. Junior trébucha contre un carton d'emballage, et l'un de ses poursuivants parvint à poser la main sur lui. Il tourna sur lui-même pour se débarrasser de son emprise, retrouva son équilibre et reprit sa course.

James poussa la porte de la sortie de secours située à l'arrière du magasin. Un nouveau signal d'alarme lui déchira les tympans. Contrairement à ce qu'il avait espéré, il ne déboucha pas à l'air libre mais au beau milieu du centre commercial, à dix pas d'un stand d'information surmonté d'une bannière jaune vif sur laquelle se détachait l'inscription :

POLICE DU BEDFORDSHIRE
BRIGADE DE PRÉVENTION DE LA DÉLINQUANCE
– VOTRE SÉCURITÉ, NOTRE MÉTIER –

Postés derrière une longue table pliante, trois policiers en uniforme distribuaient des brochures. James resta figé d'horreur.

— Bordel de merde, s'étrangla Junior en s'arrêtant net.

Pris en tenaille entre les forces de l'ordre et les vigiles lancés à leurs trousses, leurs chances de s'en tirer semblaient désormais réduites à néant. James envisageait de se rendre lorsque son camarade l'entraîna vers une porte surmontée d'un panneau *Parking* et l'ouvrit à la volée. Ils s'engagèrent dans un couloir étroit. Ils entendaient le claquement des semelles de leurs poursuivants, amplifiées par les parois de béton. Ils atteignirent une porte coupe-feu et débouchèrent dans un escalier. Ils dévalèrent les marches quatre à quatre, dopés par l'adrénaline, au risque de se tordre la cheville ou de s'ouvrir le crâne.

Les policiers se montraient beaucoup plus prudents, et ils ne tardèrent pas à perdre du terrain. Les garçons ouvrirent une série de portes à coups de pied avant de déboucher en plein soleil, dans la zone de livraison, à l'arrière du bâtiment. Ils se frayèrent un chemin parmi les bennes à ordures et les monceaux de cartons d'emballage, puis atteignirent la rue. James jeta un coup d'œil par-dessus son épaule et constata que les policiers venaient tout juste de franchir la porte située au pied de l'escalier. Il constata avec un soulagement relatif que les agents de sécurité avaient renoncé à les poursuivre.

Deux files de voiture patientaient devant un feu rouge. Voyant le signal vert destiné aux piétons clignoter, les garçons se ruèrent vers le trottoir opposé. Ils coururent jusqu'à un parking en plein air, s'accroupissant et progressant par bonds successifs entre les pare-chocs des véhicules immobiles.

La circulation ayant repris, les policiers se retrouvèrent bloqués de l'autre côté de la rue. L'un d'eux essaya d'interrompre le trafic d'un geste de la main. Une moto le frôla. Il poussa un juron et fit un pas en arrière. Lorsqu'ils parvinrent enfin à traverser, James et Junior avaient trouvé refuge derrière une voiture, à une centaine de mètres de là.

Les trois policiers s'immobilisèrent aux limites du parking puis, à pas lents, courbés en deux, commencèrent à inspecter attentivement chaque rangée de véhicules. Les garçons rampèrent sous une haie de buissons puis émergèrent sur un trottoir étroit qui longeait une route à deux voies.

Junior se mit à courir.

— Eh, calme-toi, dit James.

— Quoi ?

— Marche. Ça aura l'air moins suspect.

Ils progressèrent à pas pressés pendant une vingtaine de minutes, en jetant des coups d'œil nerveux par-dessus l'épaule, puis grimpèrent dans le premier bus venu. Ils s'assirent à l'étage, à l'écart des autres passagers, et purent enfin pousser un profond soupir de soulagement.

— Je suis désolé, dit James. Tu ne m'en veux pas trop ?

Junior éclata de rire.

— Mec, c'était complètement *dément*. La gueule des flics quand ils nous ont perdus de vue...

James fit glisser la fermeture de son sac à dos.

— Ce que je peux être nul ! s'exclama-t-il. Quand j'ai embarqué les jeux, j'ai poussé tout le papier alu au fond du sac.

— Qu'est-ce que ça peut faire, maintenant ? Allez, vite, donne-les-moi.

James empila les neuf boîtes sur ses genoux.

— Il y en a pour combien ? demanda Junior en

tentant vainement d'additionner les prix inscrits sur les étiquettes.

— Trois cent sept livres.

— Eh, tu calcules super vite. En tout cas, c'était trop cool. Il faut absolument qu'on remette ça.

— Eh bien, ce sera sans moi, dit James. Je ne crois pas que mon cœur puisse supporter ça une nouvelle fois.

∴

— Tu es en retard, James, lança Zara. Le dîner est presque prêt.

Kerry et Kyle, assis à la table de la cuisine, observaient fixement le plat de lasagnes surgelées qui rôtissait dans le four.

— Excuse-moi.

— Tu aurais pu appeler. On était morts d'inquiétude.

— T'étais où ? demanda Kerry. Je t'ai cherché partout, à l'heure du déjeuner.

— Je suis allé me balader.

— Alors, c'était comment, cette première journée au collège ? demanda Zara.

— Oh, le train-train habituel. À crever d'ennui.

James ne craignait pas que la jeune femme découvre qu'il avait séché les cours, mais il préférait qu'elle ignore à quelle activité il s'était livré durant l'après-midi. Chaque fois qu'un agent commettait un vol ou gagnait de l'argent dans le cadre d'une mission, il devait abandonner le fruit de ses efforts à une œuvre de charité. Il n'avait pas l'intention de renoncer aux cinq jeux PlayStation pour lesquels il avait pris tant de risques.

— T'as pu entrer en contact avec Junior ? demanda Zara.

— Ouais. On s'entend super bien. On se ressemble beaucoup. Je pense qu'on serait devenus copains même si je n'avais rien fait pour. Où est Nicole ?

— Elle fait ses devoirs avec April Moore et ses copines, répondit Kyle.

— Wow. Elle n'a pas perdu de temps. Et vous deux, comment vous vous en êtes sortis ?

— Erin Moore et ses amis m'ont jeté des boulettes de papier et m'ont baptisée *Jambe de bois* parce que je boite, gémit Kerry.

— Ringo est un type parfaitement normal, dit Kyle. Il est très sympa, et il prend son GCSE[2] très au sérieux. Je pense qu'il est trop clean pour être impliqué dans les affaires de son père.

— James, dit Kerry, il y a un bout de papier d'alu qui sort de ton sac à dos.

— Hein ? s'étrangla le garçon.

La jeune fille se pencha vers le sac. Il l'écarta avant

2. *General Certificate of Secondary Education* : diplôme du système scolaire anglais, généralement obtenu à l'âge de 16 ans, permettant d'accéder aux études universitaires. (NdT)

qu'elle n'ait eu le temps d'apercevoir ce qui se trouvait à l'intérieur.

— Qu'est-ce que tu as encore fabriqué ? demanda-t-elle. Qu'est-ce qu'il y a là-dedans ?

— Rien, rien. Je vais passer un coup de fil à Lauren avant le dîner. Je reviens dans cinq minutes.

Dès qu'il eut le dos tourné, Kyle et Kerry échangèrent un regard entendu.

— Du papier alu, chuchota la jeune fille en prenant soin de ne pas être entendue par Zara.

— Pas de doute, dit Kyle. Il a encore joué au con.

10. Jalousie

Lorsqu'ils rentrèrent du collège le vendredi soir, James, Kerry et Nicole s'affalèrent sur le canapé du salon pour boire du Coca en regardant la télé d'un œil distrait.

— Ce soir, je vais au club de boxe avec Junior, dit James. Tu veux nous accompagner, Kyle ?

— Vous deux, sur un ring de boxe ? s'étonna Kerry. Je paierais cher pour voir ça.

— C'est juste une séance d'entraînement, pas un match en douze rounds.

— Bof, dit Kyle. Je meurs pas d'envie de me faire casser les dents. En plus, je suis invité à une fête.

— Oh, dit James, la bouche pincée. Merci de m'avoir invité.

— C'est une soirée organisée par Ringo Moore et ses potes. Rien que des élèves de troisième et de seconde. Ils n'ont pas envie de voir des gamins dans ton genre leur traîner dans les pattes.

— Moi, j'ai rendez-vous avec April à la maison des

jeunes, dit Nicole. Le club de boxe est à l'étage du dessus. On pourra peut-être se voir quand tu auras fini.

— Et toi, Kerry ? demanda James, un sourire oblique sur le visage. Tu vas t'éclater avec ta copine Erin ?

— Ah ah ah, très drôle, grinça Kerry. Cette fille est une véritable ordure. Aujourd'hui, avec toute sa petite cour, elle a réussi à faire pleurer Mrs Perez, la prof d'espagnol. Ça m'a écœurée.

— Perez n'arrête pas de chialer, ricana James. Dans ma classe, on l'a fait craquer trois fois en une seule heure de cours. Qu'est-ce qu'on s'est marrés !

Kerry était furieuse.

— C'est dégueulasse, James. Tu t'es mis à la place de cette pauvre fille ?

Il haussa les épaules.

— On s'en fout. C'est qu'une prof.

— Je te signale que les profs ont des sentiments comme tout le monde. Franchement, tu me dégoûtes.

— Eh, te mets pas en colère. C'est pas ma faute si tu n'arrives pas à approcher Erin. Tu as peur de te faire virer de la mission ?

— Oh, ferme-la, par pitié ! hurla Kerry en enfouissant son visage dans ses mains. Je dois déjà supporter une bande de pétasses toute la journée. J'aimerais au moins avoir la paix quand je rentre ici.

— Oh, mais c'est qu'elle est susceptible, gloussa James.

Kyle donna un coup de coude à son camarade.

— Laisse tomber, tu veux ?

James réalisa qu'il avait poussé le bouchon un peu loin. Nicole lui adressa un regard méprisant.

— Bon, excuse-moi, Kerry. Mais je te rappelle que tu t'es foutue de moi lorsque je t'ai dit que j'allais au club de boxe, il y a une minute.

Le visage fermé, la jeune fille fixa sa canette de Coca en silence.

— Kerry, tu ne vas quand même pas passer la soirée plantée devant la télé, dit Nicole. Tu peux venir à la maison des jeunes avec moi, si tu veux.

— Ta pitié, tu te la gardes. Selon notre ordre de mission, si nous ne parvenons pas à approcher notre objectif, nous devons essayer d'infiltrer GKM en nous liant à une autre cible. Alors, pour ton information, non, je ne vais pas passer la soirée à regarder la télé. J'ai rendez-vous à la maison des jeunes, moi aussi, même si ça vous défrise, toi et ton Mike Tyson des bacs à sable.

Sur ces mots, elle quitta le sofa et courut s'enfermer dans sa chambre, à l'étage. Kyle décocha un violent coup de poing dans l'épaule de James.

— Eh! pourquoi tu fais ça? demanda ce dernier, furieux.

— Parce que tu es un salaud et que tu n'as pas de cœur. Tu sais bien que Kerry ne supporte pas l'échec.

— C'est bon, dit James en se frottant le bras. Je rigolais. Ce n'est pas ma faute si elle n'aime pas la contrariété.

— Va t'excuser.

— C'est pas le moment. Je crois qu'elle a besoin de rester un peu toute seule.

Il croisa le regard glacial de Nicole.

— OK, OK, soupira-t-il en se levant. Je vais aller me traîner à ses pieds.

Il grimpa au premier puis s'immobilisa au bout du couloir, les yeux rivés sur la porte de la chambre des filles. Sa résolution faiblit. Kerry avait un tempérament violent, et il ne se sentait pas le courage de l'affronter. Au même instant, il entendit un faible gémissement provenant de la chambre d'Ewart et Zara. Il entra, se pencha au-dessus du berceau et prit le bébé dans ses bras. Joshua posa sa tête sur son épaule et cessa aussitôt de pleurer.

— Viens, mon petit gars, dit James en berçant l'enfant. On va voir maman.

Il descendit l'escalier et trouva Ewart attablé dans la cuisine.

— Merci, James, dit-il. Zara est allée chercher du pain à l'épicerie du coin.

— Fais chauffer le biberon. Je vais l'emmener dans le salon. Il aime bien regarder la télé.

Le contrôleur de mission lui adressa un sourire reconnaissant.

— Joshua ne supporte pas que Kyle et les filles l'approchent. Et je crois savoir pourquoi il t'apprécie à ce point.

James haussa les épaules.

— Ah bon ?

— Tu as les cheveux blonds, comme Zara et moi.

— Ah oui, c'est peut-être ça.

Il rejoignit le salon et s'assit sur le sofa, près de Nicole, le bébé sur les genoux.

— Tiens, mais qui voilà ? s'exclama la jeune fille en tripotant le gros orteil de Joshua.

Depuis le début de la mission, James avait fait une découverte essentielle concernant les filles : pour les séduire, il était inutile de les couvrir de cadeaux, de les flatter ou de les emmener au cinéma. Il suffisait d'attraper le premier morveux venu et de le poser sur ses cuisses. Nicole, qui s'était montrée si hostile à son égard quelques minutes plus tôt, vint se coller contre lui.

— Tu sais quoi, James ? dit-elle. Je suis sûre qu'un jour tu feras un père exceptionnel.

∴

L'escalier menant au club de boxe était décoré de coupures de journaux et de photographies dédicacées de boxeurs dont James n'avait jamais entendu parler. Il poussa une porte et pénétra dans une salle exiguë et surchauffée où flottait une puissante odeur de transpiration. Une vingtaine d'hommes aux T-shirts tachés de sueur soulevaient de la fonte ou frappaient dans des sacs. Il se sentait mal à l'aise. Il avait la sensation que tous les yeux étaient braqués sur lui et que ces inconnus se demandaient combien de millisecondes il leur faudrait pour le mettre KO.

Un colosse interrompit sa série de pompes, se redressa puis épongea son crâne chauve avec une serviette-éponge.

— Tu es nouveau ?

James hocha la tête.

— Je… hum…

L'homme désigna du pouce une porte située derrière lui.

— Les gamins, c'est par là. Allez, file.

Il enjamba des matelas et des barres de fonte, poussa la porte puis entra dans une salle plus vaste où étaient rassemblés vingt garçons âgés de neuf à quatorze ans. Deux jeunes entraîneurs, debout sur un ring, encaissaient en riant les coups portés par leurs élèves. Junior pratiquait des échauffements en compagnie de Del et de deux types qu'il avait aperçus au collège.

— Tu es le nouveau copain de Junior ? fit une voix dans son dos.

James se retourna. Un vieux type au visage patibulaire, vêtu d'un bas de survêtement et d'une veste constellée de taches, était assis dans une chaise en plastique. Ses cheveux gris et filasse tombaient sur ses épaules. Il devait avoir cessé de combattre depuis une bonne trentaine d'années, mais ce n'était pas le genre de grand-père auquel il aurait risqué de se frotter.

— Je m'appelle Ken, gronda l'homme. C'est cinquante *pence* pour la soirée.

— Junior m'avait dit que c'était moins cher si on payait au mois.

— Commence par me filer ce que je te demande, petit. Je n'ai pas envie de t'arnaquer. La plupart des gamins ne franchissent pas cette porte plus d'une fois ou deux. Si tu tiens le coup, je déduirai ce que tu m'auras déjà payé du prix de l'abonnement mensuel.

James tira quelques pièces de sa poche.

— Va voir ton pote Junior et fais comme lui, dit le vieil homme. Tu es ici pour t'entraîner, pas pour bavarder, chahuter ou faire des blagues. Je ne veux pas te voir combattre avant que je ne t'en aie donné l'autorisation. Si tu me désobéis, je te promets que tu le regretteras. Compris ?

James hocha la tête.

— Il n'y a pas de prof ?

Ken éclata de rire.

— Je suis là. Je garde les yeux ouverts. Attends une semaine. Reproduis ce que font les autres. Quand je penserai que tu es prêt, je te trouverai un sparring-partner.

James rejoignit son camarade.

— Alors, il t'a sorti son couplet habituel ? lui demanda ce dernier.

Entre Junior, Del et leurs deux amis, toutes les épreuves étaient prétexte à compétition : la longueur des séries de pompes et d'abdominaux, le nombre de coups portés sur un sac de frappe en trente secondes. Grâce à l'entraînement qu'il avait reçu à CHERUB, James fit bonne figure. Seul le saut à la corde lui causa quelques difficultés. C'était un exercice auquel il ne s'était livré qu'à une seule reprise, en cours d'éducation physique, des années plus tôt. Tous les autres élèves montèrent sur le ring pour recevoir des conseils de

Kelvin et Marcus, les deux garçons de dix-sept ans au physique impressionnant que le club employait comme apprentis entraîneurs.

La séance achevée, tout le monde se rassembla dans les vestiaires pour prendre une douche et changer de vêtements. James s'apprêtait à quitter la salle lorsque le vieux Ken s'adossa à la porte pour lui bloquer le passage.

— Tu reviendras ? demanda-t-il.

— J'aimerais bien. Si c'est d'accord.

— Tu pratiques les arts martiaux, pas vrai ?

— Ouais, karaté et judo. Comment vous le savez ?

— Tu es endurant et tu sais porter des coups. Mais sache qu'un boxeur doit aussi avoir un excellent jeu de jambes. Tu dois pouvoir sauter à la corde cent cinquante fois par minute. Tiens, prends ça et entraîne-toi une demi-heure par jour.

Le vieil homme lui tendit une corde usée qu'il fourra dans son sac.

Lorsqu'il eut quitté la salle, Junior lui adressa une grande claque dans le dos.

— Il doit te trouver doué. Je suis venu ici pendant trois semaines avant qu'il m'adresse la parole. Et pourtant, ce club appartient à mon père.

James esquissa un sourire. Compte tenu de la préparation intensive au combat suivie à CHERUB, son succès n'avait rien d'étonnant.

— Tu viens à la maison des jeunes avec Del et moi ? demanda Junior. C'est à l'étage du dessous, et il y a plein de filles le vendredi soir.

⁂

Le lieu de rassemblement des jeunes du quartier ressemblait à une discothèque, mais la musique était diffusée à faible volume et personne ne dansait. Les trois garçons s'offrirent des Coca au distributeur, puis s'assirent sur des banquettes dans une alcôve obscure.

James jeta un œil à la faune locale et remarqua immédiatement que filles et garçons faisaient bande à part.

— Alors, lança Junior, quelles nanas on va choper ce soir ?

Del consulta sa montre.

— Compte pas sur moi. Je finis ce verre et je pars bosser.

— Bosser ? demanda James. À cette heure-ci ?

Junior éclata de rire.

— Ah, la voix de l'innocence.

— Je travaille pour GKM, lâcha Del.

— GK qui ? demanda James.

— Le gang de Keith Moore. Je livre de la coke à domicile pour le père de Junior.

— Qui peut bien avoir besoin de se faire livrer du Coca à une telle heure ?

— Pas du Coca, crétin, ricana Junior. De la cocaïne.

— De la cocaïne ? répéta James. Mais c'est complètement illégal. Tu m'as dit que ton père travaillait dans l'import-export.

— Ouais, c'est ça. Il importe de la dope et il exporte du fric.

— C'est dingue. Je comprends pourquoi il est plein aux as.

Del sortit un sachet en plastique rempli de poudre blanche. James le saisit pour l'examiner de plus près.

— Planque ça, connard, s'étrangla Junior en lui giflant la main.

— Excuse-moi. Y en a pour combien, là-dedans ?

— Un gramme. On me donne dix sachets à chaque fois, et je reçois des coups de fil sur mon portable pour me dire où et quand livrer.

— Combien tu te fais ?

— Ils me refilent quinze pour cent. Vu que le gramme est à soixante livres, je me fais neuf livres par livraison. Si je bosse le vendredi et le samedi soir, je peux facilement atteindre les cent livres. À certaines périodes de l'année, comme Noël, les gens font des réserves. J'ai connu un client, tout près de chez moi, qui achetait dix grammes à chaque fois. Je me faisais quatre-vingt-dix livres pour une ballade à vélo de dix minutes. C'était génial.

— Et tu as dépensé tout ce fric ?

Del secoua la tête.

— Je me suis calmé quand j'ai réalisé que je claquais tout dans des conneries. Maintenant, je ne dépense que vingt livres par semaine et j'économise le reste pour me payer un super voyage quand j'aurai dix-huit ans.

James se tourna vers Junior.

— Mais toi, comment ça se fait que t'es toujours à court de fric ?

Del éclata de rire.

— Ce fils à papa n'a pas le droit de faire des livraisons.

— Mon père a peur que je me fasse arrêter, dit Junior, les yeux baissés. Si je me faisais pincer avec du matos, ça donnerait une excuse à la police pour l'interroger et perquisitionner la maison.

— Les boules, dit James.

— Je ne te le fais pas dire. Mon père est millionnaire, et la moitié de mes potes se font un paquet de fric en vendant de la coke. Moi, j'ai des trous à mes jeans et des pompes sans marque achetées dans un hypermarché.

— Tu peux pas bosser sans qu'il le sache ?

— Impossible. Tous ceux qui pourraient m'aider à faire du business savent qu'ils auraient de gros problèmes si mon père était au courant.

— Et moi, vous pensez que je pourrais travailler pour GKM ?

Del haussa les épaules.

— Je peux en parler à Kelvin, si tu veux. Je ne sais pas s'il a besoin de livreurs en ce moment, mais je pourrai sans doute le convaincre de te confier quelques sachets et un téléphone, histoire de faire un essai.

— J'ai déjà un portable.

— On doit utiliser ceux qu'ils nous prêtent. La police ne peut pas les tracer.

— Tu crois que j'ai mes chances ?

— J'en sais rien. Tout ce que je peux faire, c'est passer le message.

— Merci.

Del se leva.

— Bon, c'est pas tout ça, mais j'ai un client à neuf heures. On se voit au collège lundi, bande de losers.

— C'est ça, bonne balade en vélo, répliqua Junior. J'espère que tu vas en baver. Je penserai à toi quand j'aurai les mains sous le T-shirt d'une nana.

— Dans tes rêves ! lança le garçon avant de se diriger vers la sortie.

James secoua la tête.

— Je n'arrive pas à croire que ton père soit un trafiquant de drogue.

— Tu vas pas nous faire la soirée là-dessus ? T'as vu toutes ces gonzesses ?

Ils jetèrent un regard circulaire à la boîte de nuit.

— C'est qui, ce canon assis près du distributeur de Coca ? lança Junior. C'est la première fois que je la vois.

James jeta un œil par-dessus son épaule. Il avait deviné que son camarade parlait de Nicole avant même de l'avoir aperçue.

— Laisse tomber, elle est pour moi. C'est ma sœur adoptive.

— Tu ne peux pas sortir avec ta sœur, espèce de petit pervers.

— *Adoptive* j'ai dit, répéta James. On n'a pas réellement de lien familial. Pourquoi tu ne t'intéresses pas plutôt à sa voisine ? Elle est super bonne.

— C'est ma jumelle, sale con. Et tu ferais mieux de

surveiller ton vocabulaire quand tu parles d'elle si tu ne veux pas t'en manger une.

James n'avait pas reconnu April Moore. Sur les photos de surveillance qu'il avait étudiées, elle portait une coiffure radicalement différente.

— Je vais te dire, moi, qui est vraiment bonne, poursuivit Junior. Dommage qu'elle soit déjà maquée.

— Qui ça ?

— La petite Chinoise, avec les longs cheveux noirs, juste derrière nos sœurs.

— Putain, mais tu le fais exprès ou quoi ? C'est Kerry, mon autre sœur adoptive. C'est qui le type qui est avec elle ?

— Dinesh Singh, un Indien qui vit dans ma rue. Son père possède une usine de fabrication de plats surgelés pour les supermarchés. Bon, on passe à l'attaque ? Moi, je branche Nicole. Tu peux tenter ta chance avec April. Honnêtement, elle est vraiment pas difficile. Même toi, tu as toutes tes chances.

— Merde, gémit James, qui avait l'impression que son crâne allait exploser sous l'effet de la jalousie. Ce salaud vient de lui passer la main dans le dos.

— C'est quoi ton problème ? Tu craques pour toutes tes sœurs ou quoi ?

— Kerry est très jeune.

— Elle a quel âge ?

— Douze ans.

Junior éclata de rire.

— Ouais, comme nous, quoi.

— Ouais. Mais on est en cinquième, et elle en sixième.

— Si tu veux mon avis, mec, tu ne devrais pas te mêler des affaires de ta sœur. Ceci dit, Dinesh est une lavette. Colles-en-lui une, si ça peut te soulager.

— Je ne sais pas ce qui me retient.

En réalité, il le savait très bien. Il n'avait tout simplement pas envie de se faire réduire en bouillie par Kerry.

— Bon, soupira Junior, on va pas rester assis là toute la soirée. Tu vas te décider à aller voir April, oui ou non ?

— Fais ce que tu veux. Moi, je ne suis pas d'humeur.

April Moore était plutôt mignonne, et sortir avec elle aurait sans doute fait progresser la mission, mais James ne pouvait pas effacer Kerry de son esprit.

Junior tira une chaise près de Nicole et engagea la conversation. James resta dans son coin pour surveiller Kerry et Dinesh. Puis il réalisa qu'il ne pouvait pas passer la soirée à ruminer sa jalousie. Il s'était décidé à traverser la piste pour aller parler à April, lorsque les deux apprentis entraîneurs du club de boxe s'assirent à ses côtés. Ils se serrèrent contre lui, écrasant volontairement ses côtes.

— Salut, dit Kelvin, un Noir à la musculature impressionnante.

Il posa un téléphone portable sur la table.

— Del me dit que tu aimerais bien travailler pour nous.

James hocha la tête.

— Je voudrais me faire un peu de fric.

— Il paraît que tu es un vrai dur. Qu'est-ce que tu dirais aux flics s'ils te pinçaient avec de la dope ?

— Rien du tout.

— Bien. C'est exactement ça. Tu ne nous connais pas, tu ne nous as jamais vus, tu as trouvé des sachets de coke dans un buisson. Tiens-t'en à cette histoire même s'ils emploient les grands moyens pour te faire parler. Tu sais ce qui t'arrivera si tu joues les balances ?

— Vous me frapperez ?

— Nous, on préfère travailler au couteau. Pour commencer. Ensuite on enverra des gens chez toi pour faire des misères à ta famille, casser les meubles, battre tes parents. Del m'a dit que tu avais deux sœurs. Ça serait dommage qu'elles finissent défigurées. J'espère qu'on se comprend, James. Même si les flics menacent de te foutre en cellule et de jeter la clef, tu as intérêt à la boucler.

— Ne t'inquiète pas. Je ne suis pas une balance.

— Tu as un bon vélo ?

— Bof, il est plutôt pourri, en fait.

— Parfait. Mieux vaut éviter les bécanes trop luxueuses. Il y a pas mal de fauche dans le coin. Tes parents te laissent sortir tard le soir ?

— Jusqu'à dix heures et demie ça ne pose pas de problème.

— Marcus, file-lui trois sachets. On va lui faire faire un essai.

L'autre colosse sortit trois grammes de la poche arrière de son pantalon.

— Je veux que tu sois disponible toute la soirée, du

lundi au jeudi inclus, continua Kelvin. Il faut que tu laisses ton téléphone allumé et que tu sois toujours prêt à partir. Je me fous que tu sois puni ou occupé à autre chose. Dès qu'on t'appelle, tu sautes sur ta bécane.

— Je ne peux pas travailler le week-end ? Selon Del, c'est là qu'on se fait le plus de fric.

— Tout le monde commence en bas de l'échelle : livraisons en semaine, pas de clients réguliers. Ensuite, on verra. Si tu es fiable et que tu livres rapidement, on fera en sorte que tu gagnes davantage. Des questions ?

— Je n'ai que trois sachets. Comment je ferai pour en avoir plus ?

— On a des types à nous dans ton collège. Ils prendront contact avec toi quand ce sera nécessaire.

— Et si je me fais dépouiller ?

— Si tu perds ta marchandise, c'est ton problème. Tu devras nous rembourser. Ne prends pas de risques. Si un client joue les malins et refuse de payer, n'insiste pas. Fais ce qu'il te demande, puis passe-nous un coup de fil. On enverra quelques gros bras pour lui filer une leçon.

Les deux hommes se levèrent.

— Une dernière chose, dit Kelvin. Comme tu vas travailler la nuit, tu auras des embrouilles, tôt ou tard. Ne prends jamais plus de coke que tu ne dois en livrer. Certains livreurs se trimballent avec des couteaux, mais si tu veux mon avis, ça ne vaut pas la peine de risquer ta vie. Un bon conseil : mieux vaut jeter le matos par terre et se tailler en vitesse.

11. Confessions et confusion

À la fermeture du club, James regagna la maison en compagnie de Nicole. Il était anxieux à l'idée de travailler pour GKM, et voir Kerry en compagnie de Dinesh l'avait purement et simplement rendu malade. Zara et Ewart étaient déjà couchés. Les deux agents se versèrent un verre de lait dans la cuisine.

— Kerry t'a dit quelque chose à propos de cet Indien qui ne l'a pas lâchée de la soirée ? demanda James.

Nicole sourit.

— Pourquoi, tu es jaloux ?

— Mais non. C'est juste qu'on est très proches et que je me fais du souci pour elle.

— Oh ! tu as entendu ?

— Quoi ?

— Le joyeux son du pipeau.

— Très drôle.

— James, tu es raide dingue de Kerry. Pourquoi ne pas voir les choses en face et lui proposer de sortir avec toi ?

— Oh, lâche-moi avec ça. On est juste amis, je te dis. Et toi, comment ça s'est passé avec Junior ?

— Il est plutôt mignon, mais il devrait apprendre à se laver les dents.

James éclata de rire.

— Bon, poursuivit la jeune fille, puisque tu n'en pinces pas pour Kerry, qu'est-ce que tu penses de moi ?

James se sentit soudain extrêmement mal à l'aise.

— Je te trouve vachement sympa.

— Ce n'est pas ce que je t'ai demandé.

Il se balança nerveusement d'un pied sur l'autre.

— Ben, en fait, ouais... t'es super bien foutue, et tout ça.

— Tu n'es pas mal non plus, dit-elle en s'adossant au frigo. Viens un peu par là.

— Pour quoi faire ?

— Pour m'embrasser.

James déposa un baiser sur sa joue.

— C'est tout ? s'étonna la jeune fille.

Sur ces mots, elle le prit dans ses bras et ils s'embrassèrent longuement sur la bouche.

Ils entendirent alors la porte claquer dans l'entrée et se séparèrent à la hâte. James se cogna la cuisse contre la table. Kerry entra dans la cuisine.

— Salut la compagnie, dit-elle en souriant. J'ai comme l'impression que je dérange.

— Non non, dit le garçon d'une voix étranglée. On boit un verre de lait avant de monter se coucher. T'en veux un ?

— Avec plaisir.

Il prit un verre dans l'égouttoir et le remplit.

— Houlà, dit-il en bâillant à s'en décrocher la mâchoire, il est onze heures passées. Je crois que je vais aller me coucher.

Il tourna les talons et se dirigea vers l'escalier.

— Au fait, James..., dit Kerry.

— Quoi ?

— Tu as du rouge à lèvres plein le visage. Tu ferais mieux de te nettoyer si tu ne veux pas en mettre sur ton oreiller.

Il gravit les marches dans un état de confusion totale. Nicole lui plaisait, mais il était bouleversé que Kerry soit au courant de ce qui s'était passé.

Kyle bouquinait dans le lit du haut.

— Eh ben, tu es déjà rentré ? s'étonna James. Et moi qui croyais que tu étais un vrai clubber.

— La fête était sympa, mais les voisins se sont plaints du bruit. Du coup, les flics se sont pointés et ça a tout foutu en l'air. Et toi, c'était comment la boxe ?

James lui fit un récit détaillé de sa soirée. Il essaya de s'en tenir aux faits, mais ce qui s'était passé entre Kerry et Dinesh l'obsédait à un tel point qu'il finit par lâcher une confidence.

— Kerry est tellement... comment dire ? Des fois, je reste allongé toute la nuit en pensant à elle. Elle est vraiment, tu vois... Elle n'est pas canon, c'est pas ça... Ni la fille la plus sexy de l'univers. Mais elle a un truc, tu comprends, quelque chose qui me rend dingue.

— Tu es fou d'elle, mon vieux. Il faut vraiment que tu lui demandes de sortir avec toi.

— Mais je veux qu'on reste amis. Qu'est-ce qui se passera si on finit par se disputer ?

— C'est un risque à prendre.

— Et si elle ne veut pas de moi ?

— Bon, écoute. Tu viens juste de sortir avec Nicole, donc tu devrais être super content. Mais tout ce que tu as en tête, c'est Kerry, Kerry, Kerry.

— Qu'est-ce que je vais lui dire ?

— Et pourquoi pas la vérité ? Dis-lui tout ce que tu ressens et que c'est à elle de choisir.

— Tu as raison. Je lui parlerai dès que l'occasion se présentera. On ne sait jamais, ça pourrait peut-être marcher entre nous.

— Voilà, t'as tout compris.

James éteignit la lumière et se glissa sous la couette.

— Kyle, il y a un truc qui me chiffonne. Pourquoi est-ce que je suivrais tes conseils, alors que je ne t'ai jamais vu avec une fille ? Franchement, tu n'es pas vraiment un spécialiste du sujet.

— Je n'ai jamais eu de copine.

James était sidéré par tant d'honnêteté. Il s'attendait à ce que Kyle noie le poisson, comme d'habitude.

— Sans blague ? dit-il, estomaqué.

— Je te jure.

— Mais il y a de tas de filles au campus. Je suis sûr que tu pourrais faire un malheur.

— Honnêtement, ça ne me dit rien.

— Quoi ? T'as eu un chagrin d'amour ? Comme dans les films à l'eau de rose dont ma mère se gavait ?

— Non, c'est pas ça, James. C'est juste que je n'aime pas les filles.

— Quoi ? Tu veux dire que tu préfères les femmes mûres, de vingt ans et plus ?

Kyle éclata de rire.

— Non. Le truc, c'est que je préfère les garçons.

James bondit de son matelas.

— Qu'est-ce que c'est que ces conneries ?

— James, je suis gay.

— Non, c'est pas possible. T'es encore en train de te foutre de ma gueule. Gay ?

— J'aimerais bien que tu ne le cries pas sur les toits, d'ailleurs, mais comme tu as été honnête avec moi à propos de Kerry, alors je ne veux pas te mentir. C'est la vérité, que tu le croies ou non.

— Wow, dit James. Tu le jures ?

— Oui.

— Wow.

Il avait l'impression que sa tête allait exploser. C'en était trop pour une seule soirée : Kerry, Nicole, les trafiquants de drogue, les révélations de son meilleur ami.

— Et qui est au courant ?

— Je l'ai dit à deux ou trois personnes.

— Je n'arrive pas à le croire. Tu n'as pas du tout l'air d'une tapette.

— James, je préférerais que tu n'emploies pas ce mot.

— Oh, bien sûr. Excuse-moi, vieux.

⁂

James resta éveillé toute la nuit, à écouter les avions gronder au-dessus de la maison. Il se leva à l'aube, prit une douche puis engloutit un bol de Frosties et un mug de thé. Lorsque le livreur glissa les journaux dans la boîte aux lettres, il consulta la page des sports, mais c'était comme si les mots ne s'imprimaient pas dans son esprit. Kerry, Dinesh et Kyle occupaient toutes ses pensées.

Kerry et Nicole le rejoignirent quelques minutes plus tard. Il n'aimait pas les voir traîner ensemble. Il avait le sentiment qu'elles complotaient contre lui.

— Je vais préparer des toasts au bacon, dit Nicole. Tu en veux un, James ?

— Ouais. Avec plaisir.

Kerry s'assit en face de lui et lui versa un jus d'orange. Kyle lui avait demandé de garder secrète la confession qu'il lui avait faite la nuit précédente, mais James était au bord de la crise de nerfs. Il fallait qu'il le dise à quelqu'un. C'était un secret trop lourd à porter.

— J'ai parlé à Kyle, hier soir.

Kerry leva les yeux du magazine télé qu'elle était en train de feuilleter.

— Et… ?

— Il m'a dit un truc. C'est complètement dingue, mais je n'ai pas le droit d'en parler.

— On s'en fout. Crache le morceau.

— Il m'a dit qu'il était gay.

Kerry esquissa un sourire.

— Ouah, c'est la nouvelle du siècle. James, évidemment que Kyle est gay.

Nicole se détourna de la poêle où elle faisait frire des lamelles de bacon.

— C'est aujourd'hui que tu t'en rends compte ?

— Il m'a dit qu'il n'en avait parlé qu'à deux ou trois personnes.

— Tu aurais au moins pu t'en douter, fit remarquer Kerry.

— Et pourquoi ?

— Non mais, tu as vu comment il se fringue ? Tu n'as pas remarqué que c'était pratiquement le seul mec du campus dont la porte de casier n'est pas recouverte de photos de nanas en petite tenue ? Qu'il ne s'approche jamais d'une fille à moins de cinq kilomètres ? Franchement, il te faut quoi ? Qu'il porte carrément un T-shirt *Gay Pride* ?

— Mais je suis dans la même chambre que lui. Il me voit à poil tous les jours.

— Et alors ? Moi aussi je t'ai vu tout nu.

— Mais il est gay, bon sang.

— Ah, tu penses que tu lui plais, c'est ça ? Mon pauvre, je ne voudrais pas te décevoir.

— Maintenant que j'y pense, ricana Nicole, il me semble bien l'avoir vu te mater les fesses amoureusement.

— Oh, tais-toi, par pitié, supplia James. C'est pas drôle, c'est dégoûtant.

— Tu penses qu'être gay est dégoûtant ? demanda Kerry. Je croyais que Kyle était ton ami.

— C'est mon ami, mais cette histoire me met super mal à l'aise.

— Tu peux préparer les tartines, Kerry ? demanda Nicole. Le bacon est presque prêt.

Kerry sortit le pain de mie du placard et se mit à en beurrer six tranches.

— Tu sais, James, dit-elle, je pense qu'il lui a fallu beaucoup de courage pour te faire cette confidence. Surtout que tu n'arrêtes pas de traiter tout le monde de pédale et de tapette.

Nicole ôta la poêle du feu et commença à garnir les sandwiches.

— J'ai entendu dire qu'une personne sur dix était gay, dit-elle. C'est plus fréquent qu'on ne le croit. Quand on y pense, chaque équipe de foot a forcément au moins un joueur gay.

Kerry gloussa.

— C'est vrai, ça. Je me demande qui est le joueur gay d'Arsenal. Oh ! attendez, je me trompe. C'est un très grand club. Ils ont un effectif énorme. Du coup, en comptant les remplaçants, il y a au moins quatre ou cinq gays à Arsenal.

James se dressa sur sa chaise, à bout de nerfs.

— C'est pas drôle ! cria-t-il. Il n'y a pas, il n'y aura jamais de joueur gay à Arsenal !

Kerry posa une assiette devant lui.

— Tais-toi et mange. Kyle est ton ami, et tu devrais le soutenir. Si tu lui dis quoi que ce soit de blessant, je te promets que je te ferai passer un sale quart d'heure.

12. Last but not least

James entamait sa troisième tournée de livraison de la semaine. Les jours précédents, le téléphone portable que lui avait confié Kelvin avait sonné à deux reprises. Une femme inconnue à la voix douce lui avait indiqué un horaire et une adresse. Elle concluait chaque appel par la même phrase : « Sois prudent, mon garçon. »

En ce début d'automne, James prenait plaisir à ces balades rémunérées. Elles n'excédaient jamais plus de quelques kilomètres. Il avait constaté avec soulagement que ses clients n'étaient ni les femmes émaciées et échevelées en chemise de nuit, ni les motards barbus aux yeux hagards qu'il s'était imaginés.

∴

James déchiffra le panneau qui marquait l'entrée du lotissement de pavillons flambant neufs : DERNIÈRES VILLAS À SAISIR, À PARTIR DE £245,000. Chaque habitation disposait d'un jardin planté de jeunes arbres et d'une allée privée où était garée une Ford ou une Toyota à la plaque minéralogique récente. Il n'y avait pratiquement pas de circulation. Des enfants faisaient du skateboard ou de la trottinette au beau milieu de la rue.

James donna un coup de pédale et laissa la bicyclette glisser le long d'une pente douce. Il remarqua que chaque rue portait le nom d'un instrument à vent : allée de la Trompette, avenue du Cornet, route du Basson.

Il s'engagea dans l'avenue du Trombone. Au premier coup d'œil, il nota que les villas y étaient plus grandes et que les allées privées accueillaient des Range Rover et des Mercedes. À l'évidence, c'était l'artère la plus riche du lotissement. Il cherchait une villa baptisée *Stonehaus*. Comme des millions de collaborateurs de GKM avant lui, il détestait cette mode de baptiser les habitations. En l'absence de toute numérotation, il dut déchiffrer les étiquettes figurant sur chaque boîte aux lettres. Il repéra enfin celle qu'il cherchait, à demi masquée par une BMW X5 et un Grand Voyager. Il s'engagea dans l'allée et appuya sur la sonnette. À l'intérieur de la maison, un carillon joua les premières notes de *How When The Saints Go Marching In*.

Un garçon de huit ou neuf ans vêtu de l'uniforme d'une école privée ouvrit la porte.

— Papa, c'est pour toi ! brailla-t-il avant de retourner en courant se vautrer devant la télé.

Un homme descendit les marches d'un large escalier, un verre de whisky à la main.

— Salut, dit-il, s'efforçant d'adopter une attitude vaguement rebelle, malgré son crâne dégarni et son ventre rebondi. Quatre grammes, c'est ça ?

James hocha la tête.

— Deux cent quarante livres.

Il fouilla dans son sac à dos et en sortit quatre sachets. L'homme lui tendit cinq billets de cinquante livres.

— Je n'ai pas de monnaie, soupira James, comme Del le lui avait conseillé.

Tous les livreurs connaissaient cette astuce. Si le client protestait, il suffisait de retrouver par miracle quelques billets au fond de ses poches. En règle générale, les bons pères de famille qui s'offraient de la coke après le boulot n'aimaient pas voir des dealers mineurs traîner sur le seuil de leur porte.

— C'est pas grave, mon garçon. Tu peux garder la monnaie.

James fourra l'argent dans son sac.

— Merci beaucoup, dit-il. Amusez-vous bien.

L'homme referma la porte. James esquissa un sourire. Il venait d'empocher une commission de trente-six livres et un pourboire de dix pour une balade en vélo d'une demi-heure.

∴

Il regagna la maison à neuf heures passées. Toute l'équipe était rassemblée dans le salon. Deux semaines après le début de la mission, Ewart et Zara avaient organisé une réunion afin de faire le point sur les progrès de chaque agent et de réorienter ceux qui n'étaient pas parvenus à remplir leurs objectifs.

— Excusez-moi de vous avoir fait attendre, dit James, mais j'avais une livraison.

Il s'installa sur le canapé, entre Kyle et Nicole.

— Très bien, s'exclama Ewart. Je veux que chacun de vous me dise où il en est. Essayez de faire court. Je tiens à ce qu'on se couche tôt.

— À toi l'honneur, Nicole, dit Zara.

La jeune fille s'éclaircit la gorge.

— J'ai approché April sans problème. Elle est au courant des activités de son père, mais elle n'y participe pas. Je suis allée plusieurs fois chez elle pour faire mes devoirs et j'ai rencontré Keith, mais ça n'est pas allé très loin. Juste bonjour bonsoir.

— C'est un excellent début, dit Ewart. Tu crois que tu pourras y retourner ?

— Bien sûr. April adore recevoir sa petite cour pour frimer avec sa chambre de cinquante mètres carrés. Je suis invitée à une soirée pyjama, samedi soir.

— Tu as eu l'occasion de jeter un œil à la maison ? demanda Zara.

— J'ai préféré y aller doucement pour commencer. J'ai juste recopié les notes punaisées sur le panneau de liège de la cuisine.

— Tu crois que tu pourrais placer des caméras et des micros dans la maison ?

— Sans problème. Elle est immense. Si quelqu'un me surprend dans une pièce où je ne suis pas censée me trouver, je n'aurai qu'à dire que je me suis perdue.

— Parfait, dit Ewart. Tu pourrais jeter un œil dans le bureau de Keith ?

— Ça, c'est moins sûr. Il y passe presque tout son temps et il ferme la porte à clé quand il s'absente. Je pourrais essayer de l'ouvrir avec mon pistolet à aiguilles.

— Pas question. Si tu te faisais prendre avec ce matériel, non seulement la mission serait compromise, mais tu mettrais ta propre vie en danger. Contente-toi de poser des micros dans sa chambre. D'après ce que nous savons, il reçoit des coups de fil à toute heure du jour et de la nuit.

— Vous ne pouvez pas mettre son téléphone fixe sur écoute ? demanda James.

— On surveille sa ligne depuis des années, et il le sait. Il utilise des mobiles, ou parle à ses collaborateurs de vive voix. Il se sert de téléphones à carte dont il se débarrasse au bout de quelques jours, ce qui ne nous laisse pas le temps de le tracer. En plus, il emploie un langage codé et un dispositif pour maquiller sa voix. On ne peut pas se présenter devant un tribunal avec de tels enregistrements. Notre seule chance d'obtenir des preuves recevables, c'est de placer un micro dans la pièce même où il se trouve.

— C'est ta priorité, dit Zara. Ensuite, essaie de poser des micros dans d'autres points stratégiques de la maison. Reste prudente, mais je pense que tu ne risques pas grand-chose. Personne ne soupçonnera une fille de douze ans.

— Tu as fait du bon travail, Nicole, ajouta Ewart. James, on t'écoute.

— Junior et moi sommes devenus super potes. On sèche les cours et on va au club de boxe ensemble.

— Il est au courant des activités de son père ?

— Oui, mais il n'y participe pas. Cela dit, il en meurt d'envie et il s'intéresse beaucoup à son business. Si l'un des enfants Moore détient des infos capitales, je parierais sur lui.

— Et tes livraisons, demanda Zara, comment ça se passe ?

— Comme sur des roulettes. Je rencontre la plupart des clients dans des baraques de luxe et des bureaux. J'étais un peu inquiet au début, mais ce n'est pas plus dangereux que de livrer des pizzas, et le salaire est nettement plus intéressant.

Ewart prit la parole.

— Selon nos informations, certains gamins du coin ne se contentent pas de fournir des petites doses à des clients individuels. Ils livrent de grandes quantités de marchandise à d'autres dealers du pays. Tu as déjà entendu parler de ça ?

James haussa les épaules.

— Certains garçons se font vraiment beaucoup d'argent. Ça ne me surprendrait pas.

— Ta priorité est de découvrir pourquoi certains

livreurs sont aussi riches, déclara Zara. Fais-toi d'autres amis, pose des questions et insiste jusqu'à ce que tu obtiennes des réponses. Surtout, reste prudent pendant les livraisons. Si tu penses que tu es en danger, ne joue pas les héros et reviens vite à la maison. On s'occupera des conséquences. Nous préférons annuler la mission que de risquer la vie de nos agents.

— C'est à toi, Kyle, dit Ewart.

— Je perds mon temps avec Ringo, si vous voulez mon avis. C'est un type clean. Je fais partie de sa bande, maintenant. J'ai rencontré quelques revendeurs à ses fêtes, et pas mal de ses copains fument de l'herbe. Je pourrais peut-être leur soutirer quelques informations, mais je n'y crois pas trop.

— Continue comme ça en attendant que nous te trouvions un autre objectif, conclut Zara.

— Et pour finir, s'exclama Ewart, *last but not least*, Kerry !

— Erin et moi, on ne peut pas s'encadrer. Elle est totalement immature. Elle et ses amies vivent en circuit fermé et ne parlent à personne.

— Tu as tout essayé pour faire partie de sa bande ?

— On est trop différentes. Je ne crois pas que ça puisse fonctionner.

— Le problème, ma chérie, c'est que tu as été entraînée à analyser la personnalité de ta cible afin d'adopter un comportement permettant de t'en faire apprécier. Si Erin passe son temps à humilier ses camarades de classe, à rendre ses profs cinglés, à proférer des insultes et à sécher les cours, alors tu dois faire comme elle. Je sais qu'il est impossible de garantir le succès d'une telle manœuvre d'approche, mais je refuse qu'un agent baisse les bras sous prétexte qu'il n'a pas d'atomes crochus avec sa cible.

Le visage de Kerry s'assombrit.

— Il faudrait un psychiatre de renommée mondiale pour comprendre la psychologie d'Erin.

Zara prit la parole.

— Kerry, tu n'es pas parvenue à remplir ton objectif en deux semaines, et je pense que tu n'y arriveras jamais. Nous allons te renvoyer au campus. Nous prétendrons que tu es partie t'installer chez tes parents biologiques, quelque chose comme ça.

La jeune fille semblait sur le point de fondre en larmes.

— Ne faites pas ça. Je travaille sur une nouvelle cible, comme le prévoit l'ordre de mission.

— Je ne vois pas l'intérêt de te garder avec nous, dit Ewart. Si tu étais un garçon, tu pourrais devenir livreur, mais le recrutement s'effectue par l'intermédiaire du club de boxe.

Zara hocha la tête.

— Je suis désolée que ça n'ait pas marché pour toi. Mais tu ne dois pas te décourager. Reste positive et essaye de tirer tous les enseignements de cet échec.

— Laissez-moi une chance, supplia Kerry. J'ai approché un garçon de ma classe, Dinesh. Je suis sûre qu'il sait quelque chose.

James leva les yeux au ciel.

— Sur quoi fondes-tu tes soupçons ? demanda Ewart.

— Son père dirige une usine de plats surgelés. Il m'a dit qu'il faisait des affaires avec Keith Moore.

Les contrôleurs de mission ne se montrèrent pas très enthousiastes.

— Keith est un homme très riche, dit Zara. Il fait des affaires avec beaucoup de monde, dans la région.

— Mais Dinesh avait l'air bizarre quand il m'a raconté ça. Je crois qu'il me cache quelque chose. Je me trompe peut-être, mais je vous demande de me laisser une chance de creuser cette piste.

Ewart et Zara échangèrent un regard dubitatif.

— Pitié, ne me renvoyez pas au campus, supplia Kerry. Donnez-moi encore quelques jours.

— Tu es amoureuse de ce garçon, c'est ça ? demanda Zara. C'est pour ça que tu tiens tant à poursuivre la mission ?

— Je suis une professionnelle ! cria Kerry. Je me fiche complètement de ce mec. J'ai une intuition et je vous demande de me faire confiance.

— Très bien. Ce n'est pas la peine de t'énerver. Ewart et moi sommes prêts à t'accorder une semaine. Ça te paraît correct ?

La jeune fille hocha la tête.

— Merci.

— Quelqu'un a-t-il quelque chose à ajouter avant que nous allions nous coucher ? demanda Ewart.

— Ouais, moi, dit James. Ce week-end, c'est l'anniversaire de Lauren. C'est toujours d'accord pour qu'elle nous rende visite ?

— Bien sûr, répondit Zara. Mais elle devra se faire passer pour ta cousine. Ça paraîtrait plutôt suspect, une troisième sœur surgie de nulle part.

— Allez, tout le monde au lit, conclut Ewart.

Kyle, Nicole et les contrôleurs de mission se ruèrent aussitôt vers la salle de bains et formèrent une joyeuse mêlée devant le lavabo, chacun s'efforçant d'être le premier à s'emparer de sa brosse à dents.

Kerry resta assise sur le sofa, la mine boudeuse. James pensa qu'il pouvait bien patienter cinq minutes et laisser les autres s'entre-tuer pour la conquête du tube de dentifrice.

— J'aimerais tellement être comme toi, dit-elle en lui lançant un regard mélancolique.

— Qu'est-ce que tu racontes ?

— Les gens te trouvent sympa au premier coup d'œil. Même le bébé est dingue de toi. Moi, je travaille comme une forcenée, j'ai les meilleures notes du campus, mais comme agent, je ne vaux rien.

— Arrête, Kerry. Tu es trop dure envers toi-même. Personne n'exigeait de toi que tu fasses des étincelles. Après tout, c'est ta première mission importante.

— Et sans doute la dernière, après ce désastre. Je vais passer le reste de ma carrière à CHERUB à effectuer des tests de sécurité minables et des missions de recrutement dans les orphelinats.

James s'assit près de sa camarade.

— Kerry, je voulais te parler.

— Me parler de quoi ?

— On ne s'est pas très bien entendus depuis le début de cette mission. Je voulais être certain que tu n'étais pas fâchée contre moi.

— Bien sûr que non, dit-elle en souriant. Tu es l'un de mes meilleurs amis.

James s'arma de courage et passa un bras autour du cou de Kerry. Elle posa sa tête sur son épaule.

— Tu as fait tout ce que tu pouvais, dit-il. Il n'est pas question qu'ils te mettent au placard. Avec ton niveau en karaté et en langues étrangères, qui pourrait se passer d'une fille comme toi ?

— Tu te donnes beaucoup de mal pour passer pour un parfait crétin, mais au fond, tu es un mec adorable.

— Merci.

Il était sur le point de prononcer les mots qu'il avait maintes fois retournés dans son esprit depuis quelques jours. Lui dire que le baiser qu'il avait échangé avec Nicole n'avait aucune importance, qu'elle était la seule qui comptait à ses yeux, qu'il rêvait de devenir son petit ami. À cette pensée, son cœur s'emballa. Il en était physiquement incapable. Il se persuada que Kerry vivait des instants difficiles, et que le moment était mal choisi.

13. Pour une poignée de livres sterling

Le samedi matin, un responsable de CHERUB amena Lauren à la maison. James venait à peine de sortir du lit lorsqu'il entendit le carillon résonner dans le vestibule.

— Joyeux anniversaire, ma grande, dit-il en serrant sa sœur dans ses bras. Déjà dix ans. Ça me fait drôle. Tu passes à deux chiffres, tu te rends compte ?

Lauren sourit.

— Tu m'as manqué, James. Et je n'arrive toujours pas à comprendre pourquoi.

Les autres membres de l'équipe faisaient les cent pas entre la cuisine et le salon en grignotant des toasts beurrés.

Vêtu d'une simple couche-culotte, Joshua se traînait à quatre pattes dans le couloir. C'était la première fois que Lauren le voyait.

— Oooh, s'exclama-t-elle, qu'il est mignon ! Comment tu t'appelles, petit bonhomme ?

Le bébé lui lança un regard affolé qui signifiait clairement : *Oh mon Dieu, encore une*. Il se mit aussitôt à brailler.

— Eh, Ewart ! cria James. Ta théorie selon laquelle Joshua n'aime que les cheveux blonds a du plomb dans l'aile.

Lauren pénétra dans le salon, jeta son bomber sur une chaise et se laissa tomber sur le sofa. Kerry et Kyle lui souhaitèrent un heureux anniversaire.

— Bon, demanda-t-elle, où sont mes cadeaux ?

— En fait, répondit James, je ne t'ai encore rien acheté.

— Typique, soupira la fillette.

— Mais vu que je suis devenu un authentique narcotrafiquant, et que le fric que je me suis fait ne sent pas très bon, je me suis dit que tu te ferais un plaisir de m'en débarrasser.

Il tira de sa poche une poignée de billets tout chiffonnés et les jeta sur les genoux de sa sœur.

Elle sourit jusqu'aux oreilles.

— Il y a combien ?

Elle défroissa les billets et commença à compter.

— Vingt, quarante, soixante, quatre-vingts, cent, cent dix, cent quinze. Wow… Combien de temps ça t'a pris pour gagner tout ça ?

— Quatre soirées. Mais si tu veux que je t'emmène faire du shopping, il faudra que tu m'offres le ticket de bus, vu que je n'ai plus que soixante *pence*.

— Il y a un *Gap Kids* dans le coin ? demanda-t-elle, au comble de l'excitation. Il me faut un nouveau jean. Et une boutique *Claire's Accessories* ? J'ai besoin de chouchous noirs, comme ceux de Bethany.

— Tu ne peux pas utiliser un élastique, comme tout le monde ?

Ignorant cette remarque, la petite fille consulta sa montre.

— À quelle heure ouvrent les magasins ?

— Calme-toi un peu. Cet argent ne va pas s'envoler. Pourquoi tu ne vas pas dans la cuisine dire bonjour aux autres ?

— Bon, d'accord. Mais on ne traîne pas, hein ? Les magasins sont bondés le samedi.

∴

Zara déposa les agents devant le centre commercial de Luton. James se sentait mal à l'aise. Il craignait d'être reconnu par les agents de sécurité.

— Pourquoi tu portes des lunettes de soleil ? demanda Lauren.

Il haussa les épaules.

— Elles me donnent un look d'enfer.

— Tu as l'air d'une andouille, objecta Kerry.

— Ça n'a rien à voir avec les cinq jeux PlayStation que tu as planqués sous ton lit ? demanda Kyle.

— Depuis quand tu fouilles dans mes affaires ? s'étonna James, indigné.

— Tu te rappelles la crise que tu m'as faite, lundi, avant de partir au collège ?

— Non.

Kyle imita la voix de James.

— *J'ai paumé mon T-shirt de sport. Tu peux m'aider à le retrouver ?*

— Ah ouais. Ça.

— Laisse-moi deviner... Je parie que tu ne tiens pas à traîner du côté de chez *Gameworld*. Je me trompe ?

— S'il les a piqués dans le cadre d'une mission, il n'a rien fait d'illégal, non ? demanda Lauren.

— Oui, mais il est censé en faire don à une œuvre de charité, expliqua Kerry.

— C'est vrai, James, dit la fillette. Tu n'es pas en mission pour faire des affaires.

— Tu as raison, bien sûr. Je vais tout rendre, y compris l'argent qui est dans ta poche.

— Oh, lâcha la fillette d'une voix étranglée.

— C'est bon, tu vas te détendre, maintenant ?

D'habitude, traîner dans les magasins réservés à la clientèle féminine rendait James à moitié fou, mais il prenait plaisir à gâter sa petite sœur. Lauren, qui n'aurait porté une jupe pour rien au monde, s'acheta deux sweat-shirts à capuche, une paire de jeans délavés et quelques boucles d'oreilles en argent. Elle offrit à James une paire d'affreuses chaussettes fantaisie, qu'il fit mine d'adorer tout en se promettant de ne jamais les porter. Enfin, elle invita toute la bande dans un fast-food.

Après le déjeuner, Kerry dut les quitter pour rencontrer Dinesh. Elle demanda à James d'avertir Zara de ne pas la compter pour le dîner. James était secrètement ivre de jalousie, mais ne voulant pas gâcher l'anniversaire de Lauren, il s'efforça de ne pas y penser.

Une surprise de taille les attendait à la maison. Zara avait commandé un gâteau spectaculaire décoré d'une reproduction en sucre du parcours-combat de CHERUB, avec sa tour de saut, sa fosse et des agents miniatures rampant sur un glaçage camouflage où figurait l'inscription :

Joyeux anniversaire, Lauren !
Et bonne chance pour le programme d'entraînement initial.

Lauren souffla ses dix bougies, puis les membres de l'équipe, pliés de rire, regardèrent Joshua détruire consciencieusement sa part de gâteau.

•:•

Épuisés par cette journée de shopping, James et Lauren allèrent se coucher à neuf heures et demie. La fillette se glissa dans le sac de couchage posé à même le sol, puis, jugeant sa position inconfortable, grimpa dans le lit de son frère. Elle avait pris cette habitude depuis son plus jeune âge, mais James considérait qu'ils étaient trop âgés pour perpétuer ce rituel puéril.

— C'est ridicule, dit-il en se tortillant contre le mur pour lui faire de la place.

— Fais pas ton salaud. J'ai besoin qu'on me rassure.

Cette histoire de programme d'entraînement me fout une trouille pas possible. D'ailleurs, je n'en vois même pas l'intérêt.

— Tu comprendras quand ce sera terminé. Leur but, c'est de te placer dans des situations tellement horribles que toutes les galères que tu rencontreras pendant les missions te paraîtront insignifiantes.

— Rien que d'y penser, ça me donne envie de vomir.

— T'inquiète. Une fois que le programme aura commencé, tu seras trop crevée pour gamberger.

On frappa à la porte.

— Oui ? cria James.

Zara passa la tête par la porte entrebâillée.

— Kerry t'a dit où elle allait après son rendez-vous avec Dinesh ?

— Non.

— Je lui ai passé un coup de fil. Il m'a dit qu'elle était partie avant huit heures. Elle devrait être revenue depuis longtemps.

— Tu as essayé son portable ?

— Évidemment, c'est la première chose que j'ai faite. Je lui ai même envoyé un SMS.

— Peut-être qu'on devrait se mettre à sa recherche ?

— Pas de panique. Elle ne va sûrement pas tarder. Dormez bien. Ne vous faites pas de souci.

∴

James fut réveillé par une sonnerie stridente.

— C'est ton téléphone, dit-il en secouant brutalement sa sœur.

— Je parie que c'est cette idiote de Bethany.

Lauren se glissa hors du lit, alluma la lumière et sortit son portable de la poche de son bomber. James consulta son réveil. Il était minuit passé.

— Allô ? demanda Lauren. Kerry ! Tout le monde te cherche ici... Ouais, il est près de moi. Quitte pas.

James arracha le Nokia des mains de sa sœur.

— Kerry ?

— Oh ! Dieu merci. Pourquoi tu as éteint ton téléphone ?

— Il doit être déchargé.

— Nicole et Kyle ne répondent pas, eux non plus.

— Où est-ce que tu es, bon sang ? Zara est super inquiète.

— Je suis devant l'entrepôt de Thunderfoods. J'ai besoin d'un coup de main.

— Thunderfoods ?

— C'est l'usine du père de Dinesh.

— Pourquoi tu n'expliques pas tout ça à Ewart et Zara ?

— Parce que si je me suis encore plantée, je passerai pour une débile et ils me renverront au campus.

James ne pouvait pas refuser. Il était le premier à conseiller à Kerry de se montrer moins regardante sur les règles de procédure.

— OK, dit-il. De quoi tu as besoin ?

— Viens me retrouver. Emmène Nicole ou Kyle avec toi. Il faut qu'on jette un œil à cet entrepôt.

— Nicole est à une soirée pyjama chez April Moore. Kyle est parti à une fête.

— Je suis là, moi, dit Lauren, visiblement surexcitée.

— Pas question, tu n'es pas qualifiée.

— Tant pis, dit Kerry, on se débrouillera à deux. Amène des torches halogènes, ton pistolet à aiguilles, ton appareil photo numérique et une canette de bière.

— Où est-ce que je vais trouver de la bière à cette heure-ci ? Même s'il y avait un magasin ouvert, je suis trop jeune pour acheter de l'alcool.

— Il y a quelques canettes, dans le bac à légumes du frigo. Piques-en une.

— Tu peux m'expliquer à quoi elle va nous servir ?

— Pas le temps. Fais ce que je te dis, grimpe sur ton vélo et ramène-toi.

James nota l'adresse que lui indiqua sa camarade puis raccrocha.

— Qu'est-ce qui se passe ? demanda Lauren.

— Je ne sais pas trop. Kerry va perquisitionner un entrepôt mais elle ne veut pas qu'Ewart et Zara soient au courant. Elle a peur qu'ils la renvoient au campus si jamais elle s'est trompée.

Il enfila son pantalon de survêtement et chaussa ses baskets.

— Je vais te chercher une canette, dit Lauren.

— Merci.

Elle se glissa en silence hors de la chambre, tandis

que James retournait l'amas de vêtements entassés sous son lit à la recherche de son pistolet à aiguilles et de son appareil photo. Il prit également celui de Kyle, ainsi que le portable de sa sœur.

Cette dernière revint avec une bière glacée.

— Merci, dit James. Je ne sais pas comment je vais arriver à quitter la maison sans qu'Ewart et Zara s'en aperçoivent.

Lauren enfila ses vêtements à la hâte.

— Eh, qu'est-ce que tu fais ? Il n'est pas question que tu m'accompagnes.

— Kerry a besoin d'un troisième agent.

— Tu n'es pas qualifiée, je t'ai dit.

— Je viens avec toi. Si Kerry n'est pas d'accord, je surveillerai les vélos.

James savait à quel point sa sœur pouvait se montrer bornée. Il n'avait ni le temps ni l'énergie d'argumenter.

— Comme tu veux, lâcha-t-il. Mais ne compte pas sur moi pour te couvrir si on s'attire des ennuis.

— J'ai dix ans. Je suis capable de prendre mes propres décisions.

14. John Jones

James et Lauren durent emprunter une voie rapide sillonnée par des véhicules lancés à toute allure. Ils mirent vingt minutes pour rejoindre la zone industrielle. L'usine Thunderfoods était constituée de bâtiments préfabriqués rassemblés autour d'un parking illuminé comme en plein jour. Les chaînes de fabrication fonctionnaient vingt-quatre heures sur vingt-quatre. Des camions chargés de pâtes précuites et de currys surgelés faisaient d'incessants allers-retours entre la zone de fret et les grandes surfaces de la région.

James et sa sœur retrouvèrent Kerry à l'endroit prévu, dans une zone obscure située entre deux entrepôts.

— Lauren ? Qu'est-ce que tu fais là ? chuchota-t-elle.

— Vous avez besoin d'aide. Vous pouvez compter sur moi.

— Tu es sûre de savoir ce que tu fais ? Si on se fait prendre, tu auras de sérieux ennuis.

Lauren hocha la tête, l'air résolu.

— Alors, qu'est-ce qui se passe ? demanda James.

— Dinesh m'a lâché quelques indices, expliqua Kerry. C'est incroyable ce qu'une fille peut obtenir d'un garçon qui veut sortir avec elle.

— Quoi, tu es sortie avec lui ? demanda Lauren.

La jeune fille éclata de rire.

— Jamais de la vie.

James se sentit soulagé. Tout compte fait, cette information justifiait à elle seule cette opération clandestine au beau milieu de la nuit.

— Dinesh a la haine contre son père, continua Kerry. Il m'a dit que c'était un hypocrite, qu'il exigeait de lui une attitude et des résultats scolaires irréprochables, alors qu'il était lui-même un escroc de première. J'ai fait l'étonnée et il m'a expliqué que GKM avait sauvé Thunderfoods de la faillite. Je lui ai dit que je n'en croyais pas un mot, pour le pousser à parler davantage. Il m'a juré qu'il avait vu des sacs de cocaïne dans l'un des entrepôts. J'ai procédé à une reconnaissance préliminaire, et j'ai constaté que la sécurité était plutôt relâchée. Le problème, c'est que la porte est fermée et je n'ai pas mon pistolet à aiguilles.

— Et le système d'alarme ? demanda James.

— Rien de très sérieux. Un simple boîtier à passe magnétique.

Elle tira de son short une carte plastifiée.

— Je l'ai piquée dans le bureau du père de Dinesh.

— Et la bière ? demanda Lauren.

— Ça, c'est si on se fait prendre. On fera semblant

d'être bourrés et on prétendra qu'on est entrés dans l'usine sans raison précise, juste pour foutre le bordel.

Sur ces mots, Kerry prit la canette, la décapsula, en avala une gorgée puis en répandit quelques gouttes sur son T-shirt.

— Voilà, histoire d'avoir l'haleine et l'odeur qui vont bien.

James imita sa camarade puis versa les derniers centilitres dans les cheveux de sa sœur.

Ils titubèrent jusqu'au parking, piétinèrent une pelouse puis atteignirent la porte latérale de l'entrepôt. James tendit son pistolet à aiguilles à Kerry.

— Tiens, tu es plus rapide que moi.

La jeune fille le glissa dans la serrure à huit points, l'une des plus délicates à crocheter. Lauren et James s'assirent dans l'herbe en bâillant.

— Tu veux que j'essaye ? demanda ce dernier.

— Tu n'y arriveras pas plus que moi, répliqua-t-elle, visiblement agacée. Il faut que je le reconfigure.

Elle dévissa la poignée de l'outil qui contenait neuf pointes de tailles différentes.

— Si celle-là ne marche pas, c'est râpé.

Elle s'escrima sur la serrure trente secondes de plus.

— Enfin, soupira-t-elle en poussant la porte.

Le boîtier de l'alarme situé près de l'entrée se mit à clignoter. Elle y fit glisser la carte magnétique.

— N'allumez pas la lumière, dit-elle. Il y a des verrières sur les côtés. Ça pourrait attirer l'attention.

À la lumière de leurs lampes torches, l'entrepôt avait

quelque chose de sinistre. C'était un labyrinthe de hauts rayonnages où étaient alignés des sacs et des boîtes d'ingrédients destinés à la fabrication de plats cuisinés.

— C'est peut-être comme ça qu'ils introduisent la drogue dans le pays, chuchota James. Ils font passer la cocaïne pour de la poudre de curry.

— Non, dit Kerry. Dinesh a décrit des sacs transparents remplis de poudre blanche. En plus, il a dit qu'il avait vu des mecs de GKM faire je ne sais quoi à l'étage.

— Je suis désolé, mais je crois que ton petit copain essayait juste de t'impressionner. Regarde, il n'y a pas d'étage.

— Séparons-nous, dit Kerry, ignorant délibérément la remarque. Il y a des centaines d'étagères à inspecter.

Ils choisirent chacun une travée et entamèrent un examen minutieux. Les rayonnages culminaient à une dizaine de mètres. L'utilisation d'un chariot élévateur était indispensable pour en atteindre le sommet.

— Par ici, chuchota Lauren.

James et Kerry accoururent. Dans le faisceau de la lampe de la fillette, ils distinguèrent plusieurs sacs en polythène remplis de poudre blanche.

— Du borax, dit-elle. C'est l'un des ingrédients utilisés pour couper la cocaïne pure.

— D'où tu sors ça, mademoiselle Je-sais-tout ? s'étonna James.

— J'ai lu ton ordre de mission, répondit-elle d'un ton détaché.

— Bon sang, est-ce que tu as la moindre idée de la punition réservée à ceux qui lisent les ordres de mission qui ne leur sont pas destinés ?

La petite fille éclata de rire.

— Elle n'est sûrement pas plus sévère que celle que tu aurais récoltée si Mac avait découvert que tu as laissé traîner ce bout de papier dans ta salle de bains.

— James, dit Kerry d'une voix étranglée, tu n'étais même pas autorisé à le sortir de la salle de mission.

— Je sais, répondit James en haussant les épaules. Mais c'est comme ça, j'adore lire les ordres de mission aux toilettes.

Kerry prit quelques clichés des sachets.

— Bon, Keith Moore range son borax ici, dit James. Ça n'a rien d'illégal. S'il est interrogé, Mr Singh prétendra qu'il l'utilise comme désinfectant.

— Il doit y avoir autre chose, murmura Kerry. Keith avait sûrement une bonne raison de racheter cette usine. Dinesh a parlé d'un étage.

— Il t'a menti, dit James.

— Pas sûr, objecta Lauren. Ce bâtiment a un toit pointu, et le plafond est plat.

— Bien vu ! lança Kerry. Apparemment, c'est toi qui as hérité de tous les neurones, dans la famille. Je crois qu'il y a des combles, là-haut.

Ils pointèrent leurs lampes vers le plafond et découvrirent une trappe.

— Comment on va monter là-haut ? demanda Kerry.

— Facile, dit James. On fait comme dans un jeu

vidéo. Il suffit d'escalader les étagères comme des échelles.

— Et moi qui pensais que toutes ces heures passées à jouer à la PlayStation étaient une perte de temps, soupira sa camarade. Lauren, tu restes en bas et tu fais le guet.

À la grande surprise de James, la fillette hocha la tête. Il était décidément le seul dont elle contestait systématiquement les décisions.

Les deux agents entamèrent leur ascension, se hissant de degré en degré à la force des bras, puis rampant sur des sacs de fournitures et des boîtes métalliques. Lauren accompagnait leur progression dans le faisceau de sa lampe.

Parvenus au point le plus élevé de la structure métallique, à une quinzaine de mètres de hauteur, ils trouvèrent une perche de bois équipée d'un crochet. Kerry s'empara de l'outil et ouvrit la trappe. Soudain, les rangées de néons situées à quelques centimètres de leurs têtes s'illuminèrent. Les deux agents se jetèrent à plat ventre.

— Il y a quelqu'un, chuchota James.

— On ne peut pas nous voir, ici. Pourvu que Lauren ait eu le temps de se cacher.

Ils rampèrent jusqu'au bord de la plate-forme et risquèrent un œil vers le bas.

— Je ne la vois pas, dit Kerry.

Ils perçurent des bruits de pas et des voix féminines. Deux femmes obèses vêtues de blouses bleu ciel, les cheveux retenus par des filets, pénétrèrent dans leur champ de vision.

— Rayon quarante-six, dit l'une d'elles.

Elles avançaient lentement en déchiffrant les chiffres inscrits à la base des étagères.

— Carbonate de potassium, dit l'autre. Là, les barils bleus.

Alors, un choc sourd résonna dans tout l'entrepôt. À quelques mètres derrière les deux employées, un sac de poudre orange venait d'exploser sur le sol. Stupéfaites, elles reculèrent de quelques pas pour examiner les dégâts.

— Ça doit être une manœuvre de diversion de Lauren, chuchota James.

Kerry, alertée par un son discret, tourna la tête. La fillette rampait dans leur direction, à plat ventre sur la plate-forme.

— Pourquoi tu n'es pas restée cachée ? demanda son frère.

— Désolée, dit Lauren, l'air vaguement honteux. J'avais la trouille de rester toute seule.

James esquissa un sourire.

— Maintenant, tu sais pourquoi tu as besoin de suivre le programme d'entraînement.

— Chut, lança Kerry, le visage anxieux. Vous faites trop de bruit.

Quinze mètres plus bas, les deux femmes, les pieds dans la poudre et les mains sur les hanches, regardaient fixement vers le plafond.

— Il doit y avoir un fantôme, lança l'une d'elles.

Sa collègue gloussa.

— Fichons le camp. Je n'ai aucune envie de balayer ce foutoir.

Les femmes disparurent avec deux barils de carbonate et éteignirent la lumière en sortant. Les trois agents restèrent immobiles pendant de longues secondes. Lorsqu'ils furent certains de se trouver de nouveau seuls dans l'entrepôt, ils s'approchèrent de la trappe. Kerry tira sur une barre avec la perche, et une échelle de métal se déploya.

— Je vous parie qu'il n'y a rien là-haut, dit James.

— Ça me ferait mal, répliqua la jeune fille, après tous ces efforts.

Elle gravit les échelons et se hissa jusqu'à une pièce obscure. Elle alluma sa lampe torche puis, constatant l'absence de fenêtres, actionna l'interrupteur.

— Tu as perdu ton pari, James, lança-t-elle, un sourire épanoui sur le visage.

.:.

Kyle reprit conscience à trois heures trente du matin, dans une pièce enfumée jonchée de corps inanimés. Il ignorait s'il s'était évanoui ou endormi, et ce qu'était cette tache brune sur son pantalon. Tout ce dont il se souvenait, c'était d'une fête à tout casser, la plus dingue de sa jeune existence. Celui qui l'avait organisée serait sans doute privé de sortie pendant un an lorsque ses parents rentreraient de week-end.

Il s'était littéralement assommé à coups de bière et de techno *hardcore*. À présent, il le regrettait amèrement. Dans sa situation, toute personne normalement constituée aurait trouvé un coin pour dormir sur place, mais Kyle voulait à tout prix rentrer à la maison prendre une douche et faire tremper ses fringues. C'était un véritable maniaque de l'hygiène. Il se souvenait d'avoir piqué une crise, à l'âge de cinq ans, parce qu'il refusait d'aller à la plage de crainte de mettre du sable sur ses vêtements.

Il mit près d'une demi-heure à retrouver son sweatshirt, marcha sur la main d'un garçon étendu dans le noir et essuya une bordée d'injures. Il contourna les invités qui dormaient sur la pelouse et se dirigea vers l'arrêt de bus. Le trajet dura quarante minutes. Il atteignit Thornton vers cinq heures du matin. En approchant de la maison, il se sentit gagné par un sentiment d'anxiété : toutes les lumières étaient allumées, et une Toyota grise inconnue était garée dans l'allée.

À l'exception de Nicole, tous les membres de l'équipe étaient rassemblés dans le salon. Lauren dormait sur le canapé. Ewart avait posé son ordinateur portable sur la table basse. Un homme au crâne dégarni portant un costume et une cravate était assis à ses côtés.

— Qu'est-ce qui se passe ? demanda Kyle. J'ai raté quelque chose ?

— Ouais, dit James, tout sourire. Finalement, je crois qu'on a bien fait d'emmener Kerry en mission.

La jeune fille semblait littéralement gonflée d'orgueil.

— Je te présente John Jones, dit Zara en se tournant vers l'inconnu. C'est le responsable de l'équipe du MI5 chargée d'enquêter sur GKM. Nous l'avons fait venir parce que nous avons du nouveau.

L'homme lui serra fermement la main.

— Vous êtes stupéfiants, les enfants, dit-il en souriant. Quand le docteur McAfferty m'a collé une équipe de CHERUB dans les pattes, j'ai cru que c'était une mauvaise blague.

James était surpris.

— Pourquoi ? Pourtant, vous connaissiez notre taux de succès, non ?

John secoua la tête.

— J'appartiens au MI5 depuis dix-huit ans, et je n'avais jamais entendu parler de votre organisation.

— Seuls les dirigeants les plus haut placés sont au courant, précisa Zara. Les autres découvrent notre existence le jour où ils commencent à travailler avec nous.

— Et encore, dit John. Quarante-trois agents du MI5 participent à l'opération Sniff, et je suis le seul à savoir que vous êtes sur le coup.

— Alors, qu'est-ce qui s'est passé ? demanda Kyle d'une voix éraillée par la fumée inhalée lors de la fête.

— Approche et jette un œil aux photos que nous ont rapportées James et Kerry, dit Zara.

Le garçon se pencha vers l'ordinateur portable.

— La cocaïne importée par GKM est pure à quatre-vingt-dix pour cent, expliqua John Jones. Le produit revendu aux usagers ne l'est qu'à trente à cinquante pour cent. Ce que tu vois sur cette image est une chaîne de conditionnement. C'est dans ces cuves que le produit pur est mélangé au borax et autres additifs. Ensuite…

L'homme fit glisser un doigt sur le trackpad, et un nouveau cliché apparut à l'écran.

— Cette machine est une pure merveille. Elle a dû coûter au moins cinquante mille livres. Elle sert à mettre les condiments en sachet, comme la sauce soja ou le poivre. On y introduit un rouleau de polyuréthane, et on verse la poudre ou le liquide au sommet. Celle-là a été configurée pour confectionner des sachets d'un gramme de cocaïne.

— Et vous avez mis la main sur le stock ? demanda Kyle.

— Pas un gramme, répondit Kerry.

— Je doute que nous trouvions de la drogue dans l'entrepôt, dit John. Je suppose que les membres de GKM viennent à Thunderfoods avec leur marchandise. Ils restent là quelques heures, le temps de couper et de conditionner la drogue, puis ils repartent avec leurs doses prêtes à être distribuées.

— Vous allez perquisitionner l'entrepôt ?

— Non, mais nous allons le placer sous haute surveillance. Je vais charger une équipe de poser des caméras et des micros. Avec un peu de chance, nous serons en mesure de remonter toute la filière.

— Franchement, je m'attendais à mieux, grommela James.

— Vous avez mis un pied dans la porte, les enfants, dit John Jones. Vous n'avez pas démantelé GKM, mais votre travail a relancé l'opération Sniff.

Sur ces mots, l'homme serra la main de tous les membres de l'équipe avant de prendre congé. Le jour était sur le point de se lever. Seule Lauren avait profité de quelques heures de sommeil.

∴

James se réveilla à trois heures de l'après-midi. Il se rua vers la salle de bains, la vessie sur le point d'éclater, mais Kerry prenait une douche. D'excellente humeur, elle chantait à s'en briser les cordes vocales.

Il descendit au rez-de-chaussée et trouva un mot sur la table de la cuisine.

James
Tu avais l'air si heureux que je n'ai pas voulu te réveiller.
A +
Lauren
XXX

Il se sentait un peu triste. Il aurait voulu lui faire des adieux dignes de ce nom, lui souhaiter bonne chance pour le programme d'entraînement. Il entendit coulisser le verrou de la salle de bains et remonta l'escalier quatre à quatre.

— Pourquoi t'as mis tant de temps ? s'exclama-t-il.

Il souleva l'abattant des toilettes et commença à se soulager sans même attendre que sa camarade ait quitté la pièce.

— L'hygiène, dit Kerry en se frottant les cheveux avec une serviette. Laisse tomber, c'est un concept qui te dépasse.

— Tu as vu Ewart et Zara ?

— Ils sont au supermarché. Ils m'ont dit qu'ils voulaient nous parler à leur retour.

— Tu penses qu'on va se prendre un savon pour hier soir ?

— Ewart s'est déjà occupé de Lauren avant son départ. Elle a passé un sale quart d'heure.

— La pauvre. Elle doit être démolie.

Kerry secoua la tête.

— Tu parles. Je crois qu'elle s'en fout complètement.

— À ton avis, ils vont nous punir ?

— Kyle a entendu une de leurs conversations. Apparemment, on est de corvée de vaisselle jusqu'à la fin de la mission.

15. Le calme avant la tempête

Aucun événement notable ne se produisit pendant les trois semaines qui suivirent la perquisition de l'entrepôt. La plupart des missions réservaient de telles périodes d'inactivité. Au cours des premiers jours, les agents rassemblaient de nombreuses informations, puis les choses se calmaient. Ils devaient alors se montrer patients, gagner progressivement la confiance de leurs cibles et s'infiltrer pas à pas dans l'organisation criminelle.

James reçut un e-mail de Meryl Spencer l'informant que Lauren avait survécu à sa première semaine de programme d'entraînement et s'était montrée parfaitement à la hauteur.

Nicole avait placé des dispositifs d'écoute et des caméras miniaturisées dans la villa de Keith Moore. James éprouvait toujours de l'attirance pour elle, mais ils ne s'étaient pas embrassés depuis la nuit où il avait pris conscience qu'il était amoureux de Kerry.

Cette dernière avait farci la maison de Mr Singh de

micros espions. Elle passait le plus clair de son temps en compagnie de Dinesh pour lui soutirer de nouvelles informations. Chaque jour, James répétait à Kyle qu'il n'avait pas trouvé le moment idéal pour lui dévoiler ses sentiments. En vérité, il n'en avait pas eu le courage.

Kyle avait cessé de cibler Ringo Moore. Il aidait deux élèves de seconde à effectuer des livraisons pour GKM durant le week-end. James ne parvenait toujours pas à se faire à l'idée que son meilleur ami préférait les garçons, mais cette révélation n'avait rien changé à leurs relations.

Certains jours, il oubliait presque qu'il était en opération. Son existence était d'une banalité absolue : il se levait, jouait un peu avec Joshua, se rendait au collège, suivait les leçons d'une oreille distraite ou séchait les cours, rentrait à la maison pour avaler les plats surgelés de Zara, puis effectuait quelques livraisons.

Il ne se plaignait pas de son sort. Son job lui rapportait cent livres par semaine. Il s'était acheté un nouveau jean, des sweat-shirts, des jeux vidéo et les Nike les plus chères du marché.

Il passait beaucoup de temps avec Junior. Les deux garçons avaient plein de choses en commun : ils étaient tous deux supporters d'Arsenal, détestaient l'école, adoraient jouer à la PlayStation et partageaient les mêmes goûts pour la musique et les filles.

∴

James n'avait pas encore participé à un combat de boxe, mais, à chaque fois qu'il s'était trouvé sur le ring en tant que sparring-partner, il s'était senti électrisé. C'était comme si chaque coup reçu modifiait la chimie de son cerveau. Il avait le sentiment d'enfoncer les doigts dans une prise de courant. Son côté obscur prenait le dessus et il n'avait plus peur de rien.

Il n'était pas parvenu à effectuer cent cinquante sauts à la corde en une minute, mais ses progrès étaient impressionnants, et il ne provoquait plus les moqueries de ses camarades.

— James et Del, montez sur le ring, dit Kelvin.

Del avait une allonge plus importante et sept combats à son actif, mais James était confiant. Il enfila un casque et des gants de cuir puis se glissa sous les cordes. Il était taillé pour la boxe : ses bras étaient solides, ses épaules larges et sa capacité à encaisser les coups hors du commun.

La cloche retentit.

Del porta le premier coup, un crochet court à la tempe. James répliqua par deux directs au menton et un uppercut à l'estomac. Il enfouit son visage dans ses gants pour encaisser une série de *jabs*. Il profita d'un moment d'hésitation de son adversaire pour le frapper en plein visage, puis l'envoya au tapis d'un dernier crochet fulgurant.

James était impatient de voir Del se relever et poursuivre le combat, mais ce dernier secoua les gants devant son visage avant de ramper jusqu'aux cordes. James, écœuré, cracha son protège-dents, puis retira un gant qu'il lança sur le dos de son adversaire.

— Tu appelles ça un combat ? hurla-t-il. Allez, debout ! Viens te battre, espèce de lâche !

Kelvin saisit James par les épaules et le tira en arrière.

— Du calme, Rocky, dit-il en souriant. C'est de la boxe amateur. Tu n'es pas là pour défoncer le crâne de l'ennemi, mais pour placer un maximum d'attaques.

— File-moi autre chose que cette lavette, la prochaine fois.

Kelvin éclata de rire.

— Tu es doué, mais tu manques encore de vitesse. Si j'étais toi, je resterais modeste.

James ôta son casque et sauta du ring. Junior vint à sa rencontre.

— Je crois que tu as le niveau pour te battre contre moi. J'ai hâte qu'ils nous donnent la permission.

Del se redressa en titubant.

— Tu es trop fort pour moi, haleta-t-il.

— Désolé de t'avoir traité de lavette. Je me suis un peu emballé.

Les deux garçons échangèrent une accolade amicale.

Tandis que James se dirigeait vers les vestiaires, Kelvin le retint par le bras.

— Il paraît que tu fais du bon boulot pour GKM, dit-il. Sache que ça n'est pas passé inaperçu.

— Super.

— Ça te dirait une petite balade en train, demain soir ?

— Où ça ?

— On a besoin de quelqu'un pour livrer un colis à St Albans. Tu te sens d'attaque ?

— Bien sûr.

— Douze kilos divisés en quatre portions. Trouve quelqu'un de confiance pour t'accompagner. Je te paierai vingt livres par paquet.

— Ça me semble correct. Où est la marchandise ?

— Tu connais Costas ?

James hocha la tête.

— Ouais, je l'ai rencontré une ou deux fois.

— Il t'attendra au parc de jeux vers six heures. Viens avec ton partenaire.

∴

Kyle étant occupé par une autre livraison, James proposa à Kerry de se joindre à lui.

— Il y en a pour un quart d'heure en train, dit-il. On se fera vingt livres chacun.

La jeune fille haussa les épaules.

— J'avais prévu de faire mes devoirs avec Dinesh, mais je crois que je perds mon temps. Il m'a craché tout ce qu'il savait.

C'était une fin d'après-midi pluvieuse. Le parc était désert.

Costas était un garçon grassouillet d'environ seize ans, au visage constellé de boutons, qui avait quitté le lycée l'année précédente. Il dévisagea Kerry d'un air soupçonneux.

— Tu te fous de moi, James ? On t'a pas demandé

d'amener ta petite amie. On a besoin de quelqu'un qui sait se servir de ses poings en cas d'embrouille.

— Tout s'est décidé à la dernière minute. Je n'ai trouvé personne d'autre, et elle fera parfaitement l'affaire.

Costas se tourna vers la jeune fille.

— Le prends pas mal, chérie, mais on travaille pas avec les nanas.

Traiter Kerry de *chérie* relevait du suicide, à moins d'être couvert de muscles et armé d'une batte de base-ball.

— Je ne suis pas ta chérie, répliqua-t-elle. Et je suis capable de me défendre.

— Mais oui, je te crois, mon ange ! pouffa Costas. Désolé, James, mais c'est hors de question. Amener une gonzesse sur une livraison... Franchement, t'as pété les plombs ou quoi ?

— File-nous la marchandise, gronda Kerry, si tu ne veux pas d'ennuis.

James lui adressa un sourire apaisant.

— Calme-toi. Je vais passer quelques coups de fil et régler ce problème.

— Non. Je ne laisserai pas ce sac à merde me parler sur ce ton.

Costas renifla bruyamment.

— Et qu'est-ce que tu comptes faire, mon chou ? Me tirer les cheveux ?

Kerry lui décocha un *mawashi geri* à la pomme d'Adam puis, tandis qu'il titubait en arrière, lui balaya les jambes, l'envoyant rouler sur le sol. Enfin, elle posa un genou sur sa gorge.

— Mon chou ? Personne ne me traite de chou.

— OK, gargouilla Costas. Je m'excuse. Tu peux y aller avec James, si tu veux.

Kerry lâcha son adversaire. Il s'assit en tailleur et son visage retrouva peu à peu sa couleur normale.

— Tu m'as pris par surprise, dit-il d'une voix étranglée. Je te conseille de ne jamais refaire un truc pareil, si tu tiens à la vie.

Kerry affichait un sourire radieux.

— C'est ça, mon gros. Je suis morte de trouille.

Costas jeta un regard circulaire à l'aire de jeux, fit glisser la fermeture Éclair de son sac à dos et en tira quatre paquets de poudre blanche. James et Kerry s'emparèrent de la marchandise et s'éloignèrent d'un pas vif.

— Eh, attendez ! cria Costas. Vous oubliez vos quatre-vingts livres.

Kerry revint sur ses pas et arracha les billets des mains du garçon.

— C'était un plaisir de faire affaire avec toi, dit-elle.

Elle rejoignit James en courant.

— Quatre-vingts livres, hein ? gronda-t-elle. Je le crois pas. Tu as essayé de m'arnaquer alors que tu te fais un fric dingue avec tes livraisons et que je dois me contenter de l'argent de poche réglementaire.

— C'est un malentendu, mentit James. Tu peux prendre la moitié, bien entendu.

— Je garde tout l'argent, dit-elle en fourrant les billets dans une poche arrière de son jean. Sauf si tu veux te battre pour le récupérer.

16. Appartement vingt-deux

James et Kerry descendirent du train à la gare de St Albans.

— Dommage qu'on n'ait pas pu arriver plus tôt dans la journée, dit la jeune fille. Il y a plein de monuments historiques à visiter, ici. Des ruines romaines, des mosaïques, ce genre de trucs.

— Oh, c'est tragique, répondit James sur un ton sarcastique. Quoi de plus excitant qu'une bonne vieille mosaïque ? De toute façon, on a rendez-vous à l'extérieur de la ville.

Des taxis étaient alignés devant la gare. Le chauffeur insista pour qu'ils payent d'avance. En chemin, ils aperçurent des fermes et de luxueuses résidences secondaires, puis, sans transition, ils se retrouvèrent dans une jungle de béton couverte de graffitis. C'était comme si un vaisseau extraterrestre avait largué une banlieue-dortoir au milieu de nulle part, au cœur de la campagne anglaise.

Le taxi s'immobilisa devant un centre commercial

abandonné. Tous les commerces étaient murés, à l'exception d'un pub reconverti en club de billard. Il était équipé d'une porte métallique, et des barreaux obstruaient ses fenêtres.

Ils descendirent du taxi. Kerry jeta un regard nerveux aux alentours. Il commençait à faire sombre.

— Ça doit être l'horreur de vivre ici, murmura James.

— Thornton est une poubelle, mais au moins, on est près de la ville. Ici, il n'y a rien.

Ils ne tardèrent pas à découvrir que le centre commercial était le lieu le plus animé de cette ville fantôme. Il était entouré de huit barres d'immeubles peu élevés au sommet desquelles figurait l'inscription HABITATION CONDAMNÉE. Des panneaux de couleur vive avertissaient le public de ne pas s'y aventurer sans masque de protection contre la poussière d'amiante. Des chiens errants furetaient dans les terrains vagues. Des toxicomanes étaient regroupés à l'ombre des bâtiments abandonnés. Les rares passants marchaient d'un pas pressé, comme s'ils craignaient de se faire agresser.

James sortit un bout de papier de sa poche.

— C'est au vingt-deux, bâtiment Mullion, troisième étage.

Ils gravirent un long escalier nauséabond et empruntèrent la coursive du troisième étage. Ils cherchèrent vainement l'appartement vingt-deux. James appuya sur une sonnette au hasard. Une femme au visage las entrouvrit la porte.

— C'est quoi vous voulez ? dit-elle avec un fort accent d'Europe de l'Est.

— Savez-vous où se trouve l'appartement vingt-deux ? demanda James.

— Quoi ?

— L'appartement vingt-deux.

— Attendez. Je va cherche mon fils.

Quelques secondes plus tard, un gamin d'une dizaine d'années apparut dans l'encadrement de la porte.

— Il n'y a pas d'appartement vingt-deux, expliqua-t-il dans un anglais impeccable. Tous les étages s'arrêtent au numéro vingt.

— Merci, dit James. Excusez-nous pour le dérangement.

— Qu'est-ce qu'on fait ? demanda Kerry.

— On s'est fait refiler une adresse bidon. Je vais appeler la femme qui me communique les adresses de livraison. Elle doit pouvoir régler ce problème.

James composa le numéro de son contact. Un message clignotait à l'écran : *Réseau indisponible.* Kerry obtint le même résultat avec son portable.

— Et merde ! lâcha James. Là, on peut dire qu'on est vraiment loin de tout.

— Il y a un téléphone public, en bas, près de l'arrêt de bus.

— Selon moi, il y a une chance sur un million pour qu'il fonctionne.

N'ayant pas d'alternative, ils quittèrent l'immeuble

et allèrent jeter un œil à la cabine. Comme ils le craignaient, elle avait été vandalisée. Ses vitres avaient volé en éclats et le combiné avait disparu.

— Cet endroit me fout les jetons, dit Kerry. Tu penses qu'ils nous laisseraient passer un coup de fil, au club de billard ?

— Franchement, je le sens pas. C'est un vrai coupe-gorge.

— Alors ? On fait quoi ?

— On se tire. Vu qu'on ne peut pas appeler un taxi, on va devoir prendre le bus. Une fois en ville, je passerai quelques coups de fil, histoire de savoir ce que c'est que cette embrouille.

Kerry consulta le tableau des horaires.

— Le bus ne passe qu'une fois par heure. Et on vient de le rater.

Ils s'assirent sur le trottoir, les pieds dans le caniveau. Kerry attrapa un pissenlit qui poussait entre deux dalles de béton et le fit tourner entre ses doigts.

— Tu penses que tu vas avoir des problèmes avec GKM ? demanda-t-elle.

— J'ai un morceau de papier avec l'adresse écrite de la main de Kelvin. Je vois pas ce qu'ils pourraient me reprocher.

— Tout ça est plutôt bizarre.

James hocha la tête.

— Surtout quand on connaît la valeur de la marchandise qui se trouve dans nos sacs.

— Y en a pour combien ?

— À soixante livres le gramme, soixante mille livres le kilo, ça nous fait… sept cent vingt mille livres.

— Wow ! s'étrangla Kerry. De quoi se payer une belle baraque. À ce prix-là, nos commissions sont vraiment minables.

— Qu'est-ce que tu veux, on est que des passeurs amateurs.

— T'es trop fort en calcul mental.

— Je fais ça depuis la maternelle. Quand ma mère dirigeait un réseau de fauche dans les grands magasins. Elle me faisait faire ses comptes.

— Elle s'est fait pincer ?

James secoua la tête.

— Non. Mais quand j'étais petit, je faisais souvent des cauchemars où les flics emmenaient ma mère et ma sœur. Je crois que Junior s'inquiète pour son père, lui aussi. Il blague souvent à ce sujet, mais j'ai bien vu qu'il était mal à l'aise. Du coup, je me sens un peu coupable, vu que c'est mon boulot de faire tomber Keith Moore.

— Tu sais, tous les criminels ont des gens qui tiennent à eux.

Ils regardèrent le soleil se coucher. Lorsque les lampadaires s'allumèrent, James consulta sa montre.

— Le bus ne devrait pas tarder.

Trois types sortirent du club de billard et marchèrent dans leur direction. Un grand individu d'environ vingt-cinq ans, avec une barbe et des cheveux frisés tombant dans le dos ; deux skinheads d'environ dix-huit ans, au visage blême et aux membres frêles, avec un léger air de famille.

L'un des skinheads s'arrêta près de Kerry.

— T'attends le bus ?

— Oui, dit-elle en se redressant. C'est ce que les gens font aux arrêts de bus, en général.

— Dommage. Je pensais que t'attendais qu'un beau gosse dans mon genre t'envoie au septième ciel.

L'autre garçon bouscula James.

— C'est ton copain, ce petit blond ?

— Dégage, dit James en le poussant à son tour.

— Vous avez du fric sur vous ? À mon avis, ça devrait pas durer.

Les deux skinheads sortirent des couteaux de leurs poches. Dans le cadre de leur entraînement, James et Kerry avaient appris à prendre une décision immédiate lorsqu'ils se trouvaient sous la menace d'une arme blanche : ils devaient soit désarmer leur assaillant, soit battre en retraite si la manœuvre semblait impossible. Ils choisirent la première option, saisirent le poignet des deux garçons et leur replièrent brutalement le bras derrière le dos. Kerry tordit le pouce de son adversaire et son arme tomba en claquant sur le sol, puis elle lui frappa la tête contre le montant métallique de l'abribus. James cogna l'autre skinhead à la nuque, avant de plonger pour ramasser les deux couteaux. Il tendit l'un d'eux à Kerry.

— On ne veut pas d'ennuis, dit la jeune fille en faisant des moulinets avec son arme. On veut juste prendre le bus et se tailler d'ici.

Les deux agresseurs restèrent immobiles, l'air anxieux. Le type aux cheveux longs, qui s'était tenu en retrait pendant l'altercation, fit quelques pas en avant.

— Vous êtes plutôt doués, dit-il. Mais qu'est-ce que vous comptez faire contre ça ?

Sur ces mots, il tira de son imperméable un fusil à canon scié et le pointa dans leur direction. James regarda Kerry, espérant la voir intervenir, mais elle semblait aussi terrorisée que lui.

— Calibre douze, ajouta le type. Une seule cartouche pourrait vous réduire en bouillie. Alors si vous voulez rester en vie, vous allez faire exactement ce que je vous demande. On est bien d'accord ?

James et Kerry hochèrent la tête.

— D'abord, rendez ces couteaux à mes amis, en les tenant par la lame.

Ils s'exécutèrent docilement.

— Maintenant, mettez les mains sur la tête.

Les skinheads les fouillèrent minutieusement, empochant argent, clés, billets de train et téléphones portables. Puis ils les soulagèrent de leurs montres.

— Maintenant, posez vos sacs à dos sur le sol.

— Tu sais que tu vas avoir de sérieux problèmes si tu prends ces sacs ? demanda James. Tu n'as aucune idée de ce qui se trouve à l'intérieur.

— Je sais exactement ce qu'ils contiennent. Et vous direz à Keith Moore que s'il envoie encore des petits merdeux dans votre genre faire du business dans mon quartier, il recevra leurs cadavres en pièces détachées par retour du courrier.

L'un des skinheads se tourna vers le jeune homme.

— Je peux prendre ses baskets avant de lui péter la gueule ?

— Quoi ?

Le garçon désigna les chaussures de James.

— T'avais dit qu'on pourrait garder tout ce qu'on trouvait sur eux. Ces pompes coûtent cent quatre-vingt-dix-neuf livres. Mon petit frère va les adorer.

Le chevelu secoua la tête, l'air affligé.

— Sers-toi, mon vieux.

James était abattu de devoir renoncer à ses Air Max toutes neuves.

— Ciao, les mioches, dit l'homme au fusil avec un sourire oblique. Si je vous revois dans le coin, je vous bute. Au fait, à votre place, je perdrais pas mon temps à attendre le bus. Comme les mômes du quartier adorent caillasser les pare-brise, le service se termine à la tombée de la nuit. Maintenant, couchez-vous à plat ventre.

Il se tourna vers ses complices.

— Allez, vous deux, dérouillez-les.

17. Mustang

Kerry et James rampèrent jusqu'au trottoir et s'écroulèrent sur la pelouse, derrière l'arrêt de bus, le temps de reprendre leur souffle. Ils avaient reçu des coups violents, mais ils s'inquiétaient surtout des douleurs qu'ils devraient supporter le lendemain.

— Il nous a laissé la vie sauve pour qu'on puisse délivrer le message à Keith, dit Kerry.

— Comment va ton genou ? demanda James.

— Ça va. Toi, tu saignes de la bouche.

— Tu crois que tu peux marcher ou tu préfères te reposer une minute ?

— Ça va, je te dis. Bon, qu'est-ce qu'on fait, maintenant ?

— On obéit. On devrait être en ville dans moins d'une heure. Si on trouve une cabine en chemin, j'appellerai Kelvin en PCV. Je lui expliquerai qu'on est tombés dans un piège.

— Et s'il pense que c'est toi qui as monté le coup pour piquer la coke ? Ce ne sont pas les livreurs qui manquent. S'il a le moindre doute, tu te feras virer de GKM et la mission tombera à l'eau.

— T'as sans doute raison. On leur a quand même fait perdre plus de sept cent mille livres.

— Ils vont cuisiner tout le monde. Pas seulement toi et moi, mais aussi Kyle, Nicole, Ewart et Zara. Toute l'opération risque d'être compromise.

— Je ne vois pas comment on pourrait récupérer la marchandise. Ce type a un fusil à pompe, et je suis en chaussettes.

— C'est un petit voyou à deux balles !

— Qu'est-ce qui te fait dire ça ?

— Tu as entendu ce que le skinhead a dit quand il a pris tes baskets ? Ce chevelu les a recrutés en les autorisant à garder tout ce qu'on avait sur nous. C'est pas vraiment des méthodes de caïd.

— OK, dit James. C'est un amateur, mais ça ne change rien au fait qu'il soit armé.

— Il n'osera jamais presser la détente. Il a sans doute été payé quelques centaines de livres pour nous foutre les jetons, piquer la dope et envoyer un message à Keith Moore. De là à buter deux gamins…

— Supposons que tu aies raison, comment on le retrouve ?

— Je n'ai pas vu passer de bagnole. Ça veut dire qu'il se trouve toujours dans ce petit coin de paradis. On cherche un dealer un peu gras avec des cheveux longs et frisés et une barbe. Je parie que tous les losers du coin seraient capables de mettre un nom sur ce signalement.

— À mon avis, il ne va pas faire long feu dans les parages. Tu ferais quoi, toi, si tu avais piqué sept cent mille livres à GKM ?

— Ouais, je sais, dit Kerry. Mais dans sa petite tête, il pense qu'il a au moins une heure devant lui avant que Keith n'apprenne ce qui s'est passé.

— Attends, tu es sérieuse, là ? Tu veux vraiment que j'aille dépouiller un dealer armé jusqu'aux dents, en chaussettes ?

— Je pense que le jeu en vaut la chandelle, mais je ne veux pas te forcer la main. Si tu ne le sens pas, on rentre à la maison.

James réfléchit quelques secondes en tamponnant sa lèvre sanglante avec la manche de son T-shirt. Il jugeait cette proposition insensée, mais il était incapable de refuser quoi que ce soit à Kerry.

— Très bien, allons nous faire flinguer, lança-t-il en se remettant sur pieds.

Ils contournèrent le centre commercial, préférant éviter les abords du club de billard, et trouvèrent deux jeunes femmes maigres à faire peur assises au pied d'un escalier. Ils décrivirent leur agresseur. Elles leur adressèrent un regard vide.

— Une espèce de Hell's Angel ? demanda l'une d'elles.

— Ouais, dit Kerry. Vous savez où on peut le trouver ? Il a laissé tomber ses clés de bagnole devant le club de billard.

— Ça doit être Crazy Joe. Bâtiment Alhambra. Soyez

prudents. C'est un psychopathe, ce type. Il est défoncé du matin au soir.

— Quel appartement ? demanda James.

— Eh, y a pas marqué *Pages jaunes* ! dit la jeune femme en se frappant le front. Essayez le deuxième ou le troisième étage.

— Merci.

— De rien. Super, tes chaussettes.

Le bâtiment Alhambra était le plus éloigné du centre commercial. Il comportait vingt appartements par étage, mais ils eurent moins de difficultés que prévu à localiser celui qu'ils recherchaient. De nombreuses fenêtres étaient condamnées ou décorées de rideaux de dentelle kitschissimes. En outre, la plupart des noms figurant sur les boîtes aux lettres avaient des consonances étrangères.

Ils s'immobilisèrent devant une porte noire ornée d'un marteau en forme de tête de démon et de l'inscription Joe tracée maladroitement au Tipp-ex. Ils jetèrent un œil par la fenêtre. Un poster d'Aerosmith était punaisé au mur de la cuisine et toutes les lumières étaient allumées.

Ils n'avaient pas emporté leurs pistolets à aiguilles. Il leur fallait attirer Crazy Joe à l'extérieur.

— Mieux vaut vérifier qu'il se trouve chez lui, dit Kerry. Frappe à la porte et barrons-nous en vitesse.

James actionna le marteau, puis ils coururent le long de la coursive pour trouver refuge dans la cage d'escalier. Crazy Joe, vêtu d'un T-shirt et d'un caleçon, sortit sur le palier puis se pencha par-dessus la rambarde pour observer le parking en contrebas.

— Putain d'enfoirés de mômes, murmura-t-il.

— Et maintenant ? chuchota James. Vu sa tenue, je suppose qu'il est seul.

— Et s'il était avec sa petite amie ?

— Tu crois vraiment qu'une fille accepterait de vivre dans ce taudis ?

— Qu'est-ce que tu veux dire ?

— Tu as vu l'état de la cuisine ? Toute la vaisselle empilée dans l'évier ? Ça, c'est une cuisine de célibataire, ou je n'y comprends plus rien.

— Il y a un truc qui me chiffonne. Il devrait être sur le point de mettre les voiles. Je ne comprends pas pourquoi il traîne en sous-vêtements.

— Tout ça n'a aucun sens. Toutes les missions que j'ai remplies pour GKM se sont déroulées comme sur des roulettes.

— Joe a peut-être des copains dans le coin. Il faut que nous le maîtrisions rapidement et en silence.

.:.

Cinq minutes plus tard, Crazy Joe, alerté par un nouveau coup frappé à la porte, déboula sur le palier et tomba nez à nez avec James.

— Je t'avais prévenu, gronda-t-il en avançant vers son ennemi.

Alors Kerry lui assena sur la tempe un coup d'une extrême violence. Joe eut la vague impression que son cerveau flottait librement sous son crâne, puis, privé de toute force, il s'écroula lourdement sur le paillasson.

— On y va, dit Kerry. Il ne va pas tarder à retrouver ses esprits, et je ne voudrais pas lui massacrer les neurones une deuxième fois.

James enjamba le corps inerte de Joe et vérifia que les pièces de l'appartement étaient inoccupées. Des cartons de pizzas et des ordures jonchaient le sol. L'odeur de tabac froid était écœurante. Il aida son amie à traîner Joe jusqu'au salon.

— Trouve quelque chose pour le ligoter, dit-elle.

James arracha les câbles électriques du boîtier de réception satellite. Joe se débattit mollement, mais ils parvinrent sans difficulté à immobiliser ses poignets et ses chevilles.

— Où est la marchandise, Joe ? demanda Kerry en brandissant un poing menaçant.

— Vous avez quel âge ? bredouilla Joe en esquissant un sourire. Treize, quatorze ans ?

— Presque treize, dit James.

— J'aurai vraiment tout vu. Vous étiez censés crever de trouille et courir à la maison retrouver maman.

— Ferme-la, dit Kerry avec autorité. À partir de maintenant, tu parleras quand je t'en donnerai l'autorisation. Et il vaudrait mieux pour toi que tes réponses me conviennent. Encore une fois, Joe, où est la marchandise ?

— C'est bon, j'ai trouvé, dit James. Nos sacs à dos sont derrière le canapé.

Il en inspecta le contenu pour s'assurer que les quatre paquets se trouvaient toujours à l'intérieur.

— Récupère son fusil. Je tiens pas à me faire flinguer dans le dos.

Elle surveilla Joe tandis que James fouillait l'appartement. Il dénicha l'arme dans l'imperméable suspendu au portemanteau, près de la porte d'entrée. Il trouva également un pistolet et une importante quantité de cocaïne sous le lit. Des sachets d'un gramme, identiques à ceux qu'il avait l'habitude de livrer.

Il remarqua une plinthe mal ajustée et découvrit une cache où étaient dissimulés deux cabas de supermarché bourrés de cocaïne, ainsi qu'une enveloppe contenant plusieurs milliers de livres.

— Tu crois qu'on doit tout embarquer ? demanda-t-il à son amie.

— Pourquoi pas ? dit Kerry. Je ne vois pas pourquoi on lui ferait une faveur.

— Mieux vaut ne pas moisir ici.

— Vous ne savez pas ce que vous faites, dit Joe d'une voix étranglée.

Kerry menaça de le frapper.

— Quelqu'un t'a demandé ton avis ?

Elle tira une poignée de serviettes en papier d'un carton à pizza maculé de graisse et les lui fourra dans la bouche.

— On appelle un taxi ? demanda James.

Kerry désigna une photo encadrée suspendue au mur.

— Où cette bagnole est-elle garée ?

Sur le cliché, Joe posait devant une voiture américaine.

C'était un élégant bolide à deux places, avec des ouïes sur le capot et une peinture dans les tons orangés. James déchiffra la plaque de cuivre vissée sur le cadre : *Ford Mustang Mach 1 1971, customisée Horsepower 496.*

— Il y a des clés de bagnole sur la table basse, dit Kerry.

À ces mots, Joe se débattit furieusement et essaya de crier malgré les serviettes en papier qui obstruaient sa gorge.

James s'empara du trousseau et lui adressa un sourire provocateur.

— T'as raison, Kerry. Pourquoi dépenser du fric pour un taxi ? Où est-elle garée ?

— J'imagine qu'il ne la laisse pas dormir dans la rue. Elle doit se trouver dans l'un des boxes, à l'arrière de l'immeuble.

Kerry retira la masse de serviettes humides de la bouche de Joe.

— C'est quoi le numéro de ton garage ?

— Si vous *touchez* à ma bagnole, haleta le jeune homme en crachant des bouts de papier, vous êtes morts.

Kerry lui envoya un coup de pied dans l'estomac.

— La prochaine fois, je vise plus bas, compris ? Ton numéro de box, vite.

— Va te faire foutre.

— James, dit calmement la jeune fille, passe-moi le fusil, s'il te plaît.

James obéit. Kerry actionna la pompe et pointa le canon scié de l'arme vers les genoux de Joe.

— Si tu ne réponds pas à ma question, il faudra un miracle pour nettoyer cette moquette.

James savait que son amie ne presserait pas la détente, mais la façon dont elle avait lancé cette menace était extrêmement crédible. Joe n'en menait pas large.

— Quarante-deux, lâcha-t-il.

— Eh bien voilà. Ce n'était pas si difficile. Si tu m'as menti, je reviendrai pour t'exploser les rotules. Ensuite, je te reposerai la même question.

— OK, OK. J'ai menti. La voiture est dans le box dix-huit. Dites, pourquoi vous n'appelez pas un taxi ? C'est une bagnole très puissante. Est-ce que vous savez conduire ?

— Tu nous prends pour des billes ? lança James.

Tous les agents de CHERUB recevaient des leçons de conduite. Cet apprentissage était essentiel pour prendre la fuite à bord d'un véhicule motorisé lorsqu'ils se trouvaient dans une situation dangereuse.

— Pourquoi tu ne lui piques pas une paire de baskets ? demanda Kerry.

— T'as vu la taille de ses pieds ? J'ai pas envie de traîner dans la rue avec des chaussures de clown.

— Neutralisons ses moyens de communication avant de partir. Je ne veux pas qu'il appelle ses copains.

Elle arracha le câble du téléphone et détruisit la

prise murale à coups de talon. James empocha le mobile de Joe.

Kerry saisit les deux sacs à dos.

— Tu es prêt ? demanda-t-elle.

James prit le cabas contenant l'argent, le revolver et le stock de drogue. Ils quittèrent l'appartement, parcoururent la coursive à toute allure, dévalèrent les escaliers quatre à quatre puis se dirigèrent vers les boxes, à l'arrière du bâtiment. Dopée par l'adrénaline, Kerry n'avait pas remarqué qu'elle tenait toujours le fusil à pompe à la main.

Elle fit sauter le cadenas d'un coup de crosse. James souleva le rideau métallique. La Mustang ne faisait pas ses trente-cinq ans. Elle avait été bichonnée avec un tel soin qu'elle semblait avoir quitté la chaîne d'assemblage la veille. Crazy Joe avait dû dépenser une fortune pour son entretien.

— Je conduis, dit James en s'installant à la place du conducteur.

Sa camarade ne fit aucune objection. Elle n'éprouvait aucun intérêt pour les automobiles.

Le garçon fit glisser le siège vers l'avant afin que ses pieds puissent atteindre les commandes. Il avait appris à conduire dans les allées du campus, à bord d'une voiture peu puissante. Il tourna la clé de contact, et le moteur V8 modifié se mit à gronder comme un volcan sur le point d'entrer en éruption. Il posa ses chaussettes sur les pédales et sentit les vibrations du véhicule dans tout son corps. Il ne s'attendait pas à ça.

— Nom de Dieu ! lâcha-t-il tout sourire, en enfonçant quelques boutons au hasard.

Les cadrans bleu électrique du tableau de bord s'illuminèrent. Deux puissants faisceaux de lumière éclairèrent l'asphalte. James passa une vitesse et le bolide quitta le box.

Il eut de terribles difficultés à maîtriser le véhicule pendant un kilomètre. Ses accélérations étaient fulgurantes, mais ses freins beaucoup moins efficaces que ceux d'une voiture moderne. James faillit percuter une voiture immobilisée à un feu rouge. Quelques minutes plus tard, il se rangea sur le bas-côté. Kerry trouva un atlas routier sous son siège et étudia l'itinéraire de retour. Au moment de s'engager sur l'autoroute, James se sentait plus confiant. Constatant que la circulation était fluide, il ne put résister à écraser la pédale d'accélérateur, poussant le bolide à cent quatre-vingts kilomètres heure.

— Super, James ! hurla Kerry pour couvrir les rugissements du moteur. On est deux mineurs dans une voiture volée avec des flingues et un énorme paquet de dope. C'est vraiment le moment de se faire remarquer en grillant les limitations de vitesse.

Il se remémora la raclée que son amie avait infligée à Crazy Joe, et jugea préférable de ralentir.

∴

Ils garèrent la Mustang à l'arrière d'un magasin *DIY*, à environ un kilomètre de Thornton. Il était onze heures passées et, les effets de l'adrénaline s'étant dissipés, ils se sentaient à bout de forces.

— On n'a qu'à laisser les clés sur la portière, suggéra James. Quelqu'un la fauchera.

— Il y a nos empreintes partout. Mieux vaut faire comme les cinglés du volant. En général, ils brûlent les voitures qu'ils piquent pour faire leurs petits rodéos.

James considéra le véhicule avec tristesse.

— C'est une honte de cramer ce bijou.

Kerry se pencha à l'intérieur et inspecta le contenu de la boîte à gants. Elle trouva les cigarettes et le briquet de Joe, puis déchira les pages de l'atlas routier. Elle les chiffonna, les répartit sur les sièges avant d'y mettre le feu. Ils laissèrent la portière côté passager ouverte pour créer un appel d'air et trouvèrent refuge derrière un arbre.

Les sièges s'embrasèrent en quelques secondes, puis l'incendie se propagea vers le toit. Bientôt, tout le véhicule fut la proie des flammes. Des volutes de fumée noire s'élevaient du capot.

— On se casse, dit James. Il doit y avoir des vigiles dans le coin.

Tandis qu'ils détalaient, les pneus éclatèrent les uns après les autres sous l'effet de la chaleur, puis le feu atteignit le réservoir d'essence, transformant la voiture en boule de feu.

Ils se trouvaient à moins d'un kilomètre de la

maison, mais les coups qu'ils avaient reçus rendaient leur progression éprouvante. Lorsqu'ils pénétrèrent en titubant dans la cuisine, Ewart se dressa d'un bond, épouvanté par l'état dans lequel ils se trouvaient. Il leur prépara du thé et des sandwichs. Pendant que Zara et Nicole nettoyaient leurs blessures, James et Kerry firent un récit détaillé de leur mésaventure.

— Une douche et au lit, dit Zara. Vous êtes dispensés de collège. Vous avez bien mérité une journée de repos.

— Il faut que j'appelle Kelvin, murmura James.

18. Comme des rois

James s'éveilla à dix heures du matin. Il souffrait de six énormes contusions, de quelques écorchures et d'une plaie importante à la lèvre inférieure. Il gagna le couloir à petits pas, les muscles des cuisses tétanisés.

Joshua jouait sur le carrelage avec les magnets du réfrigérateur. Kerry, assise à la table de la cuisine, le surveillait du coin de l'œil.

— Tu as bien dormi ? lui demanda James.

— Pas trop mal, dit Kerry. Zara a fait du thé. Tu en veux ?

Il s'en versa un mug et se prépara un bol de céréales.

— C'est dingue, ce qui nous est arrivé cette nuit, dit-elle. Ça me paraît tellement irréel. Si je n'avais pas mal partout, je jurerais que c'était un mauvais rêve.

— Ouais, j'ai la même impression. Tu m'as un peu foutu la trouille quand tu t'es occupée de Crazy Joe. Je savais que tu n'étais pas tendre, mais là, j'ai bien cru que tu allais faire une connerie.

— J'avais vraiment la haine. Tu te rends compte que

ce minable a payé des skinheads pour dépouiller des gamins ?

— En tout cas, j'ai reçu les félicitations de Kelvin. Et on a sauvé la mission.

Zara entra dans la cuisine, un panier de linge à la main.

— Tu sais, James, dit-elle, certaines opérations ne valent pas la peine de prendre autant de risques.

— Quoi ? s'exclamèrent en chœur les deux agents.

— Je respecte votre travail de la nuit dernière. Vous avez fait preuve d'initiative, et je ne peux pas vous le reprocher. Mais Ewart et moi, nous pensons que vous auriez dû rentrer à la maison. Vous avez pris des risques disproportionnés en vous attaquant à un adulte armé.

James et Kerry semblèrent blessés par cette remarque.

— Ne faites pas cette tête, dit Zara.

Elle s'assit devant eux et posa Joshua sur ses genoux.

— CHERUB est l'une des organisations les plus secrètes au monde. Seuls deux membres du gouvernement britannique en connaissent l'existence : le Premier Ministre et le ministre des Services secrets. Ils se montrent souvent réticents à faire appel à des mineurs. Mac doit sans cesse démontrer l'utilité fondamentale de notre action et insister sur les mesures prises pour assurer la sécurité de nos agents. Imaginez que vous ayez été blessés ou tués, hier soir. Il aurait dû se rendre à Londres pour expliquer que deux mineurs s'étaient fait détrousser, puis avaient pris en chasse un dealer armé. Au mieux, les dirigeants de

CHERUB auraient été mis à la porte pour avoir autorisé une telle opération. Au pire, l'organisation aurait été démantelée.

Kerry hocha la tête.

— Je comprends mieux.

— On s'excuse, murmura James.

— Ce n'est pas ce que j'attends de vous, dit Zara en souriant. Je vous demande juste de ne plus foncer tête baissée et de réfléchir aux conséquences de vos actes.

.:.

James reçut un appel de Kelvin en début d'après-midi.

— Ramène-toi au club immédiatement, et apporte ce que tu as piqué à Crazy Joe.

— Il y a un problème ?

— Non, t'inquiète. Fais ce que je te dis. Au fait, cette nana qui était avec toi…

— Kerry ?

— Ouais, c'est ça. Je veux que tu viennes avec elle.

.:.

Comme à son habitude, le vieux Ken surveillait les rares boxeurs qui s'entraînaient à cette heure de la journée, calé dans sa chaise en plastique.

— Ils vous attendent dans le bureau, dit-il. Frappez avant d'entrer.

Un colosse en costume-cravate était posté devant la porte. Il s'écarta pour les laisser entrer dans une petite pièce obscure. Les deux agents tombèrent alors nez à nez avec Crazy Joe, adossé au mur, près de l'entrée. Il portait un bandage sanglant au front. Keith Moore était assis derrière un bureau, dans un fauteuil de cuir. Kelvin se tenait debout à ses côtés.

— Asseyez-vous, dit Keith.

C'était un homme au physique ordinaire, de petite taille, avec des cheveux châtains coiffés en brosse. Il portait un jean Levis et un polo blanc. Son seul signe extérieur de richesse était une chevalière en or particulièrement clinquante.

— C'est un plaisir de vous rencontrer, dit-il en se penchant pour serrer la main de ses invités. Avez-vous apporté les affaires de Joe ?

James désigna le cabas posé à ses pieds.

— Oui, tout est là.

— Vous savez qui je suis, n'est-ce pas ?

— Oui, répondit James. Je suis un ami de Junior. Je suis venu chez vous plusieurs fois pour jouer à la PlayStation.

— Je tenais à vous remercier. Vous savez, mon travail n'a rien de très excitant. Je n'ai pratiquement rien eu à faire, ces derniers temps. Mes gars achètent la marchandise en Amérique du Sud, et le stock s'écoule de lui-même.

James remarqua qu'il ne prononçait jamais les mots

drogue et *cocaïne*. À l'évidence, il craignait la présence de micros cachés.

— Ça faisait des mois que j'entendais mes employés répéter : *Tout se passe bien, patron. Rien à signaler.* Et puis, tout à coup, au moment où je pensais que j'allais mourir d'ennui, vous m'avez redonné goût à la vie.

— C'était un test, n'est-ce pas ? demanda Kerry.

— Exact. Dans les affaires, il vaut mieux s'entourer de collaborateurs loyaux. C'est de cette façon que je les recrute : je leur colle quelques paquets de fausse marchandise entre les pattes et je les place dans une situation un peu extrême. Ceux qui cèdent à la panique, je sais qu'ils ne feront pas le poids s'ils se font arrêter par les flics. D'autres perdent la marchandise mais ont le courage de venir me supplier de leur donner une seconde chance. C'est ça que je recherche : du cran et de la détermination. Mais vous, vous êtes les premiers à avoir massacré les types que nous avions chargés de vous dépouiller. J'avoue que je suis très impressionné.

James et Kerry sourirent.

— C'est bien beau tout ça, grommela Crazy Joe, l'air maussade, mais je peux récupérer mes affaires ?

— Bien sûr, dit Keith. Rendez-lui ce que vous lui avez pris, les enfants.

— Et nous alors ? s'indigna James. On s'est fait piquer nos montres, nos téléphones et notre argent. Et moi, je me suis même fait voler mes baskets.

— Il va vous les rendre, bien entendu.

Joe s'éclaircit la gorge.

— Le problème, c'est que j'ai dit aux deux types que j'ai engagés qu'ils pouvaient tout garder.

— Très bien. Dans ce cas, prenez cinq cents livres dans son enveloppe. Ça devrait suffire à couvrir vos frais.

— Eh, ça fait beaucoup de fric, lâcha le chevelu d'une voix à peine audible. C'est pas ma faute si ce merdeux portait des baskets hors de prix.

— Prenez cinq cents livres, répéta Keith.

Le jeune homme baissa les yeux. James prit dix billets de cinquante livres, les partagea avec Kerry, puis remit le cabas à Joe.

— Et ma bagnole ? demanda ce dernier. Vous l'avez garée où ?

James adressa à son amie un regard embarrassé.

— On avait peur que tu portes plainte pour vol. Alors, vu qu'on avait collé nos empreintes un peu partout…

— Vous ne les avez pas effacées avec du white-spirit, j'espère ? Ça assèche le cuir.

— Ben non. En fait, on a… comment dire…

Il ne trouva pas le courage d'avouer.

— On a brûlé ta voiture, lâcha Kerry.

— Vous avez *quoi* ? hurla Crazy Joe en saisissant James par l'encolure de son T-shirt.

— Lâche-le immédiatement, dit Keith avec fermeté.

— Je vais te tuer, espèce de fumier ! cria le jeune homme avant de plaquer James sur le bureau.

Keith hocha discrètement la tête. Aussitôt, Kelvin empoigna Joe, le colla contre le mur et lui administra une paire de claques magistralc. Cc dcrnicr laissa échapper un couinement aigu digne d'une fillette de huit ans.

— Cette voiture était tout ce que j'avais au monde... sanglota-t-il. J'ai passé plusieurs mois à la retaper !

Kelvin recula, l'air consterné. Joe essuya ses larmes d'un revers de manche.

— Elle n'était pas assurée ? demanda Keith.

— C'est pas le problème. J'ai mis tout mon amour dans cette caisse. Et ça, vous ne pourrez jamais me le rendre.

Keith Moore éclata de rire.

— Joe, ce n'est qu'une voiture. Reprends-toi, nom de Dieu.

— Ces gamins doivent me rembourser. Ils ne s'en tireront pas comme ça.

— Écoute, soupira Keith, l'air légèrement agacé, je te rappelle que tu t'es fait doubler par des gosses de douze ans. J'ai fait le maximum pour régler tes problèmes. Maintenant, sors de cette pièce avant que je ne demande à mon garde du corps de te passer le crâne à travers le mur.

Joe prit ses cabas et sortit du bureau, la tête basse. Il semblait tellement accablé que James avait presque pitié de lui. Keith se leva.

— Vous savez, dit-il tandis que Kelvin l'aidait à enfiler son imperméable, si vous restez loyaux et si vous travaillez dur, vous allez vous faire beaucoup d'argent.

James et Kerry sourirent. Les difficultés de la veille étaient effacées par la satisfaction d'être parvenus à gagner le respect de Keith Moore.

— Le problème, monsieur, fit remarquer Kerry, c'est que votre organisation n'emploie pas de filles.

— C'est vrai. J'avoue que je pensais qu'elles n'étaient pas à la hauteur avant d'entendre parler de tes exploits.

— Je peux la briefer, si vous voulez, dit Kelvin.

— Ces deux-là sont vraiment spéciaux. Ils ont autant de tripes que de neurones. Donne-leur du boulot et assure-toi qu'ils sont bien payés.

— Merci, murmura humblement Kerry.

— James, si tu passes voir Junior à la maison, n'oublie pas de venir me voir dans mon bureau.

Keith quitta le club en compagnie de son garde du corps. Kelvin secoua la tête, l'air incrédule.

— Eh bien, je crois que je vais devoir vous traiter comme des rois. Et si ça continue comme ça, je ne vais pas tarder à vous appeler patrons.

19. Teenager

Le vendredi matin, Kerry frappa à la porte des garçons.

— Je peux entrer ?

— Je suis toujours au lit, grogna James. Kyle est sous la douche.

Ils avaient joué à la PlayStation jusqu'à minuit passé. Kerry entra et posa Joshua sur son lit.

— Il voulait te souhaiter un bon anniversaire, dit-elle.

Le bébé tira la couette en gloussant joyeusement.

— Dis donc, toi, comment ça se fait que tu ne t'es pas mis à hurler quand Kerry t'a pris dans ses bras ?

— Je crois qu'il a fini par s'habituer, dit la jeune fille. Tu peux le garder pendant que je prépare mon sac pour le collège ?

Elle laissa son ami seul en compagnie de Joshua. L'enfant rampa jusqu'à l'oreiller et y enfouit la tête. James commença à lui mordiller les côtes, lorsqu'une odeur fétide lui chatouilla les narines.

— Nom d'un chien ! s'exclama-t-il en se bouchant le nez. Sale petite crevette puante…

James bondit du lit et gagna le couloir en tenant Joshua à bout de bras. Nicole et Kerry étaient pliées de rire.

— Je commençais à me demander si tu n'avais pas le nez bouché, dit cette dernière.

— Vous êtes le mal incarné ! lança James en esquissant un sourire. Je me vengerai.

Il porta le bébé jusqu'à la cuisine. Zara faisait cuire des saucisses.

— Salut, James, dit-elle. Tiens, il y a des cadeaux pour toi sur la table.

— Ce petit monstre a encore rempli sa couche.

— Tu sais où est la table à langer, non ?

James savait que Zara ne parlait pas sérieusement.

— Si, mais CHERUB ne m'a pas préparé à remplir des missions aussi difficiles.

— Vois plutôt cette épreuve comme une expérience enrichissante, un stage d'initiation à la vie d'adulte.

— Pour ça, je me contenterai d'une caisse de bière et de quelques top models déchaînées.

Ewart entra dans la cuisine.

— Tu devrais faire gaffe, lança-t-il en prenant son fils dans les bras. Tu fais la fête avec de la bière et des nanas, et puis, du jour au lendemain, tu te retrouves penché au-dessus d'une table à langer, avec un de ces démons chauves qui te pisse dessus.

Il chatouilla le ventre du bébé puis l'emmena pour le changer.

James s'assit à la table de la cuisine et commença à dépouiller son courrier.

Les agents de CHERUB n'ayant pas de parents, ils n'oubliaient jamais de fêter l'anniversaire de leurs camarades, même lorsqu'ils se trouvaient en mission. James avait reçu plus d'une trentaine d'enveloppes, dont certaines avaient été postées de l'étranger et redirigées depuis le campus. Gabrielle lui avait écrit d'Afrique du Sud, ses vieux copains d'entraînement, Callum et Connor, du Texas. Amy lui avait adressé une carte représentant une pomme de pin géante d'Australie.

— Eh, Zara, s'exclama-t-il. Écoute ce que m'écrit Lauren. *Cher frère adoré et néanmoins crétin, je serai en plein stage d'entraînement quand tu recevras cette carte. J'aimerais tant que tu sois à ma place. PS : Joyeux anniversaire, je t'M*. Elle a dessiné des cœurs un peu partout, comme d'habitude.

James attendit que Kyle et les filles descendent pour ouvrir ses cadeaux. Ewart et Zara lui avaient offert des nouvelles baskets. Nicole et Kerry s'étaient cotisées pour lui acheter le T-shirt qu'il avait remarqué lors de sa dernière virée au centre commercial. Il les remercia et reçut deux baisers en échange. Kyle s'était fendu d'une trousse de toilette pour homme contenant du shampooing, de l'après-shampooing et une petite bouteille d'après-rasage. Il y avait joint une étiquette sur laquelle il avait inscrit : *par pitié, utilise-les régulièrement*.

— C'est trop sympa, dit James en souriant.

Il attrapa un sandwich à la saucisse sur la table et laissa son esprit vagabonder un an plus tôt, le jour de son douzième anniversaire, peu de temps après la mort de sa mère. Il vivait alors dans un orphelinat, séparé de Lauren. Le jour le plus triste de son existence.

Puis il pensa aux années précédentes, aux monceaux de jouets et de vêtements volés. Sa mère prévoyait toujours un cadeau pour Lauren, afin d'éviter toute crise de jalousie.

À ce souvenir, les larmes lui montèrent aux yeux. Refusant de fondre en sanglots devant ses camarades, il courut se réfugier à l'étage.

— Tout va bien ? demanda Zara.

— Faut que j'aille aux toilettes.

Il s'enferma dans la salle de bains. À chaque fois qu'il se tournait vers son passé, il ressentait un vide immense et une douleur sourde. Même si sa vie avait pris un tour positif et inattendu, il rêvait de pouvoir remonter le temps pour passer une soirée toute bête, devant la télé, avec sa mère.

Il essuya ses larmes et fixa son reflet dans le miroir. Il n'avait pas changé. Pourtant, il avait un an de plus. Il n'était plus un enfant, mais un authentique teenager. Cette idée lui donnait le vertige.

∴

Le lendemain, à l'heure du déjeuner, James, Junior, Nicole et April décidèrent de sécher les cours et d'aller au cinéma. Aussitôt les grilles du collège franchies, ils ôtèrent leurs uniformes. James avait des billets plein les poches. Il offrit les tickets, le pop-corn et les boissons.

Le film était un policier sans intérêt. Nicole ricanait bruyamment à chaque fois que l'acteur américain s'exprimait avec un faux accent londonien. James et Junior, eux, sifflaient entre leurs doigts dès que la comédienne sexy pénétrait dans le champ de la caméra.

Le reste du public était essentiellement constitué de retraités. L'un d'eux leur demanda poliment de cesser leur chahut. Pour toute réponse, Nicole brandit le poing dans sa direction et lâcha :

— Ta gueule, vieux con !

L'homme quitta sa place pour aller se plaindre à la direction. Le gérant se déplaça en personne pour les menacer d'expulsion. Quelques minutes plus tard, James remarqua que Nicole et Junior s'embrassaient à pleine bouche. Il était en état de choc.

Ils étaient étroitement enlacés. La jambe de Nicole battait les airs et frôlait le visage de James. Il se décala de deux sièges et se retrouva assis à côté d'April.

— Ils vont bien ensemble, dit-elle en souriant.

Elle le dévisagea longtemps. Trop longtemps. James fixa l'écran pendant trente secondes puis constata qu'elle ne l'avait toujours pas quitté des yeux. Il comprit alors qu'il avait été victime d'une énorme cabale. Nicole savait qu'elle plaisait à Junior, puisqu'il lui avait déjà demandé à plusieurs reprises si elle voulait sortir avec lui. James avait le sentiment d'avoir été pris au piège.

April était plutôt mignonne, avec ses longs cheveux châtains et ses jambes élancées. James posa une main sur l'accoudoir puis frôla celle de sa voisine. Elle se tortilla sur son siège afin de pouvoir poser sa tête sur son épaule. Il respira son parfum puis l'embrassa sur la joue tandis qu'elle lui piquait une poignée de Maltesers.

Ils restèrent immobiles pendant quelques minutes, puis la jeune fille lui souffla au visage une haleine embaumant le chocolat.

— Bon, chuchota-t-elle. Tu vas te décider à m'embrasser ou quoi ?

« Joyeux anniversaire », pensa James avant de déposer un baiser sur les lèvres d'April. Ils s'embrassèrent pendant dix minutes et ne se séparèrent que pour assister à la fin du film : une spectaculaire poursuite automobile suivie d'un combat à mains nues particulièrement violent et efficace.

Alors, Nicole et Junior recommencèrent à chahuter. Ils mélangèrent du pop-corn, de la glace et du Coca dans un gobelet, puis crachèrent dedans à plusieurs reprises.

Dès que le générique de fin commença à défiler, Nicole se précipita vers le vieil homme qui marchait vers la sortie.

— Monsieur ? dit-elle poliment.

Il se tourna vers elle, l'air soupçonneux.

— Oui ?

— Veuillez nous excuser. Nous ne nous sommes pas comportés correctement.

Le vieillard sourit.

— Ce n'est rien. J'espère simplement que vous ne recommencerez pas.

— Je vous le promets, dit Junior. Après tout, des gens comme vous se sont battus pour que les nouvelles générations puissent vivre en liberté. Veuillez accepter ceci en signe de notre considération.

Nicole laissa échapper un rire aigu puis elle versa le contenu du gobelet sur le pull de l'homme. Pétrifié, ce dernier regarda le liquide poisseux dégouliner jusqu'à son pantalon.

— Bien fait pour ta gueule, espèce de balance ! lâcha la jeune fille.

James était sous le choc. Nicole et Junior détalèrent. Il saisit la main d'April et leur emboîta le pas. Ils atteignirent l'entrée du cinéma où Junior renversa un présentoir de magazines, les éparpillant sur le sol. À l'évidence, aucun membre du personnel n'était assez bien rémunéré pour se lancer à leur poursuite.

Ils sprintèrent sur quelques centaines de mètres puis s'engagèrent dans une rue parallèle. James était livide.

— Vous êtes débiles ou quoi ? cria-t-il. Pourquoi vous avez fait ça, bordel ? C'était un vieux type. Il aurait pu faire une attaque. C'est n'importe quoi.

Junior et Nicole riaient si fort qu'ils ne parvenaient pas à reprendre leur souffle.

April restait muette, figée aux côtés de James, démontrant clairement qu'elle était de son côté.

— Je vais te dire ! cria Nicole, le visage déformé par la haine. J'espère *bien* qu'il a fait une attaque !

— T'es trop cool, dit April.

— Je supporte pas les vieux, cracha la jeune fille.

— Tu seras vieille, un jour, comme nous tous, fit remarquer James.

— Pas question, dit Nicole. Vivre vite et mourir jeune, c'est ma devise.

— Bon, on va bouffer quelque part ? demanda Junior. Je crève la dalle.

James avait conscience que son ordre de mission exigeait qu'il se lie d'amitié avec Junior, mais ses émotions prirent le dessus.

— Je rentre à la maison, dit-il. Faut que je prenne une douche.

— Eh ! fais pas la gueule, demanda Junior. Tu viens toujours au centre, ce soir ?

— Ben ouais, répondit James à contrecœur. Tout le monde y sera.

— Je vais piquer quelques bières à mon père. On va s'éclater comme des malades.

Main dans la main, Junior et Nicole prirent la direction d'un fast-food. James attendit le bus en compagnie d'April. Il déposa un baiser sur sa joue avant de monter à bord du véhicule.

— On se voit ce soir, dit-elle. Ne laisse pas ces crétins gâcher ton anniversaire.

— Tu peux me faire confiance.

Mais l'incident avec le vieil homme le hanta pendant tout le trajet de retour. Il faisait une distinction entre chahuter et se montrer cruel envers une personne âgée. Il avait un goût amer dans la bouche.

20. Tolérance zéro

La nouvelle de la dérouillée reçue par Crazy Joe se répandit comme une traînée de poudre, s'enrichissant au fil des conversations de détails sauvages et totalement imaginaires. James jouissait désormais d'un immense prestige.

Lorsqu'il entra dans la maison des jeunes en compagnie de Dinesh et Kerry, il fut accueilli par des signes amicaux, des sourires complices et des regards admiratifs. Il s'assit à la table de Nicole et Junior. À l'évidence, les deux amoureux avaient bu plus que de raison, et ils semblaient d'excellente humeur. James remarqua des bouteilles planquées sous la table. Il décida qu'il valait mieux passer l'éponge sur l'incident du cinéma.

— Tu veux une bière ? demanda Junior en lui passant une canette à l'abri des regards.

La consommation d'alcool était interdite dans l'établissement, mais l'employé censé faire respecter la discipline était un étudiant qui passait son temps à traduire des romans en allemand, tout seul dans son coin.

Lorsqu'une bagarre éclatait, il se contentait dc passer un coup de fil à Kelvin. Pour le reste, il ne se montrait pas très regardant sur le règlement intérieur.

— Merci, dit James en dévissant la capsule.

April s'installa près de lui et l'embrassa sur la bouche. Il jeta un coup d'œil à Kerry, qui était assise à quelques mètres de là, pour s'assurer qu'elle n'avait pas assisté à la scène.

Au cours des deux heures suivantes, l'alcool coula à flots. Le niveau sonore s'amplifia considérablement. Kerry et Dinesh restèrent sobres. James et April burent deux bières. Nicole et Junior, eux, sifflaient canette sur canette. Ils étaient ivres morts. Prise d'une crise de fou rire incontrôlable, la jeune fille tomba de sa chaise et roula sur le sol.

.:.

Vers dix heures, James descendit aux toilettes pour se soulager avant de rentrer à la maison. Il trouva Junior debout devant un urinoir.

— Tu ne m'en veux pas trop pour l'histoire avec le vieux ? Nicole a un problème avec les personnes âgées. La situation m'a un peu échappé.

— T'inquiète. Ça change rien entre nous.

— Super. Suis-moi, j'ai quelque chose pour toi.

Sur ces mots, Junior entraîna James sous la cage d'escalier et sortit de sa poche une boîte en fer-blanc. Il y avait une courte paille métallique et une fine couche de poudre blanche à l'intérieur.

— Depuis quand tu prends de la coke ? s'exclama James, le souffle coupé.

— Depuis cet après-midi.

— Je comprends mieux pourquoi vous vous êtes comportés comme des sauvages au cinéma.

James n'avait jamais eu l'occasion d'étudier les effets de la cocaïne.

— Vas-y, sers-toi, dit Junior.

James était habitué à manipuler d'importantes quantités de marchandise. Il entreposait des doses sous son lit et dans son casier, au collège. Pourtant, il ne s'était jamais senti tenté. En outre, il gardait en mémoire l'avertissement figurant sur son ordre de mission.

— Je ne veux pas tomber là-dedans, dit-il.

— Fais pas ton ringard. Une petite ligne n'a jamais fait de mal à personne.

Nicole sortit des toilettes des filles.

— Il a la trouille, gloussa Junior.

— Tant mieux, dit Nicole. Ça en fera plus pour moi.

Sur ces mots, elle s'empara de la paille, l'enfonça dans l'une de ses narines et vida la moitié de la poudre. Elle rejeta la tête en arrière puis essuya une larme qui roulait sur sa joue.

— Il faut absolument que tu essayes, James, dit-elle d'une voix nasillarde.

— Allez, quoi, aère-toi les neurones, insista Junior. Tu vas voir la vie en rose.

James considéra la boîte. Il restait à peine quelques traces de poudre. Nicole lui tendit la paille. Il l'enfonça dans son nez et se pencha en avant.

— Allez, tout le monde dehors ! cria Kelvin du haut de l'escalier. On ferme.

Junior referma la boîte et la fourra dans sa poche avant que James n'ait pu inhaler. Ce dernier garda la paille cachée au creux de sa main.

— Une seconde, on arrive ! cria Junior.

— Montez tout de suite ! hurla Kelvin. Commencez pas à me gonfler.

Ils retrouvèrent Kerry et April sur le trottoir, devant l'établissement.

— Tu veux venir chez nous ? demanda James à sa nouvelle petite amie. On est qu'à dix minutes à pied.

April secoua la tête.

— Kelvin va nous raccompagner à la maison. Je vais devoir faire entrer Junior par la porte de derrière. Si papa le voit dans cet état, il va péter les plombs.

— OK, dit James avant de poser un baiser sur sa joue. Je t'appelle demain. On ira faire un tour au centre commercial, si ça te dit.

— Cool, dit la jeune fille en souriant.

Soudain, son visage s'assombrit.

— Oh-oh, on dirait que vous avez un problème.

James se retourna : courbée en deux, Nicole vomissait ses tripes dans le caniveau.

⁂

Kerry entra la première dans le pavillon pour vérifier que la voie était libre. À son grand soulagement, Ewart et Zara s'étaient couchés tôt. James et Kyle traînèrent Nicole jusqu'à la cuisine et la firent asseoir sur une chaise.

— Je vais mourir, gémit-elle entre deux spasmes. Je me suis jamais sentie aussi mal.

Kerry lui donna un verre d'eau.

— Bois ça, dit-elle. Tu as trop picolé. Tu es déshydratée.

— Je vais vomir, bredouilla Nicole.

Kyle ouvrit le placard de l'évier, en sortit un seau en plastique et le posa sur la table. Nicole y glissa la tête. Ses sanglots résonnèrent dans le cylindre de plastique.

— Filez-moi un Kleenex. J'ai le nez qui coule.

James lui tendit une feuille de Sopalin. Lorsque Nicole sortit la tête du récipient, la partie inférieure de son visage était barbouillée de sang.

— Oh mon Dieu ! s'exclama Kerry. Tu saignes du nez. Je crois qu'on devrait réveiller Zara.

— Non, supplia Nicole. J'aurais des gros problèmes. Mettez-moi au lit. Je veux juste dormir.

Kerry s'empara du seau et du rouleau d'essuie-tout, puis regagna la chambre des filles à l'étage. James et Kyle soulevèrent Nicole de sa chaise et l'aidèrent à se traîner jusqu'au couloir, puis au pied de l'escalier.

Alors, la tête de la jeune fille bascula vers l'avant. Ses jambes étaient inertes. Un filet de sang jaillit de ses narines.

— Nom de Dieu ! s'exclama Kyle, terrifié. Il faut qu'on l'allonge sur le sol.

Kerry dévala les marches. Lorsqu'elle vit le corps inanimé de Nicole étendu sur la moquette du couloir, elle tourna les talons et pénétra sans frapper dans la chambre d'Ewart et Zara. Quelques secondes plus tard, le contrôleur de mission s'agenouilla au chevet de la malade puis posa un pouce sur les veines de son poignet.

— Son cœur bat trop vite, dit-il.

— J'appelle les secours ? demanda James.

— C'est inutile. Je vais la conduire moi-même à l'hôpital.

Zara les rejoignit, vêtue d'un simple T-shirt de nuit. Elle tendit à son mari un pantalon, un pull et une paire de baskets. Il enfila les vêtements à la hâte, hissa Nicole sur ses épaules, puis la porta jusqu'au minibus.

— Elle a pris de la coke, lâcha James.

Il n'avait pas l'intention de dénoncer sa camarade, mais il lui semblait indispensable que les médecins chargés de la tirer d'affaire connaissent l'origine de son état.

— Dieu tout-puissant, soupira Ewart. On avait bien besoin de ça...

Kyle l'aida à allonger la jeune fille sur la banquette arrière puis s'assit à la place du passager.

Ewart s'installa au volant et claqua la portière si violemment que James crut que la vitre allait voler en éclats.

Lorsque le véhicule disparut au coin de la rue, il se tourna vers Kerry et Zara. Elles étaient toutes deux en larmes.

— J'espère qu'elle va s'en sortir, gémit Kerry.

— Tu es absolument certain qu'elle a sniffé de la cocaïne ? demanda Zara.

James hocha la tête. Il sentait une boule grossir dans sa gorge.

— J'ai assisté à la scène.

— Pourquoi tu ne l'en as pas empêchée ? s'indigna Kerry.

— J'ai essayé, mentit James. Elle ne m'a pas écouté.

— Et toi, James ? lança Zara. Tu en as pris ?

— Jamais de la vie. Je ne touche pas à ces saloperies.

— Quel soulagement. S'ils trouvent des traces de cocaïne dans les urines de Nicole, elle sera chassée de CHERUB.

— Tu en es certaine ?

— Vous connaissez la règle : tolérance zéro pour la consommation de drogue. Un rappel figure à la fin des ordres de mission que vous avez signés. Vous saviez tous à quoi vous attendre.

— Je ne pourrai pas dormir tant que je n'aurai pas de nouvelles de Nicole, soupira Kerry.

Zara la serra dans ses bras.

— Ça va aller. Je vais rester avec toi un moment.

James eut une vision de Nicole plongée dans un profond coma, allongée sur un lit médicalisé, un tube dans la gorge et des aiguilles plantées sous la peau. Il frissonna.

— Je peux rester avec vous ? demanda-t-il.

⁂

James et Kerry s'assirent côte à côte sur le canapé du salon, enroulés dans leurs couettes, les pieds sur la table basse. Ils éprouvaient une sensation étrange, un mélange d'anxiété et d'épuisement extrême. Les aiguilles de la pendule semblaient figées.

Zara monta à l'étage pour changer Joshua.

— Alors comme ça, tu as vraiment sniffé de la coke ? chuchota Kerry.

— Mais je t'ai déjà dit que non, dit James, indigné.

— Oui, mais Zara était là. Tu peux me dire la vérité. Ça restera entre nous.

— Junior et Nicole m'en ont proposé, mais je te jure que j'ai refusé.

— Tu peux pas savoir à quel point ça me fait plaisir. J'aurais parié n'importe quoi que tu te serais laissé tenter, surtout le jour de ton anniversaire.

— Je ne suis pas complètement débile, tu sais.

Le portable de Kerry se mit à interpréter une version minimaliste de *God Save The Queen*. James avait changé sa sonnerie pendant qu'elle se trouvait aux toilettes. Cette blague minable tombait au plus mauvais moment.

— Dinesh ? s'exclama la jeune fille, stupéfaite. Qu'est-ce qui se passe ? Tu pleures ? Attends, calme-toi… Quoi ? Mais qu'est-ce que tu fais au poste de police ?

21. Arrestation

Trois heures plus tôt, lorsque Dinesh avait regagné son domicile, une villa voisine de celle des Moore, il avait trouvé son père dans son bureau, assis devant son ordinateur portable.

Il n'était pas surpris. Mr Singh avait l'habitude de travailler tard dans la nuit.

— Tu t'es bien amusé ?

— Bof, rien d'extraordinaire, répondit Dinesh. Maman a appelé ?

— Elle m'a demandé de vérifier que tu t'étais bien lavé derrière les oreilles et que tu avais changé de caleçon.

— Très drôle, papa. Je vais au lit. Ne te couche pas trop tard.

Au moment où il s'apprêtait à se glisser sous la couette, il entendit des claquements de portière. Il s'approcha de la fenêtre et écarta les rideaux. Une voiture blanche et un fourgon de police étaient stationnés devant la maison.

Cinq policiers, dont deux en civil, s'avançaient en silence vers la façade, arme à la main.

— Papa ! cria-t-il.

Deux agents en uniforme contournèrent la maison pour couvrir la porte de derrière. Dinesh enfila son bas de survêtement et courut jusqu'au palier, en haut des escaliers.

— Papa ! répéta-t-il. Il y a des flics dehors !

À peine avait-il prononcé ces mots que la porte d'entrée vola en éclats. Appliquant la stratégie systématiquement mise en œuvre dans le cadre d'affaires de drogue, les policiers, craignant que leur suspect ne détruise des preuves, avaient agi par surprise. Trois fusils à pompe étaient braqués sur Dinesh.

— À plat ventre ! aboya un flic. Les mains sur la nuque, que je puisse les voir !

Le garçon obéit en tremblant de tous ses membres. Les flics gravirent les marches quatre à quatre.

— N'aie pas peur, mon garçon, poursuivit l'homme. Où est ton père ?

Mr Singh ouvrit la porte de son bureau. Toutes les armes se tournèrent vers lui.

— Les mains en l'air.

L'un des agents en civil poussa Mr Singh contre le mur et lui passa les menottes.

— Vous avez le droit de garder le silence. Tout ce que vous direz pourra être retenu contre vous…

Ayant achevé son discours, il s'adressa à Dinesh.

— Il y a d'autres personnes dans cette maison ?

— Non.
— Où est ta mère ?
— À Barcelone. Elle revient demain.
— Tu as quel âge ?
— Douze ans.
— On ne peut pas te laisser tout seul. Tu vas devoir venir avec nous.

⁂

Zara trouva Dinesh sur le seuil de la maison, encadré par deux policiers.

— Je peux dormir ici ? demanda-t-il. Ils m'ont demandé si quelqu'un pouvait m'héberger. J'ai tout de suite pensé à Kerry.

— Bien entendu. Entre. Un de plus, un de moins, on ne verra pas la différence. On est déjà les uns sur les autres dans cette baraque.

Le policier fit signer une décharge à la jeune femme. Dinesh retrouva Kerry dans le salon. Elle le serra entre ses bras.

— Je suis désolée pour ton père, dit-elle.

— Je t'avais bien dit que c'était un escroc. Ça devait arriver un jour ou l'autre.

Il jeta un œil aux couettes et aux oreillers éparpillés sur le sol.

— On ne pouvait pas dormir, expliqua Kerry. Nicole est à l'hôpital.

— C'est sérieux ?

— Kyle nous a passé un coup de fil. Ils lui ont fait une piqûre d'adrénaline et un lavage d'estomac.

— Ils vont la garder en observation pendant quelques heures, ajouta James. Mais ils pensent qu'elle est sortie d'affaire.

Dinesh esquissa sourire.

— Que vont dire vos parents quand elle reviendra ? Je n'aimerais pas être à sa place.

Aux alentours de trois heures du matin, un taxi déposa Kyle devant la maison. Zara envoya tout le monde se coucher. Dinesh s'endormit, roulé en boule sur le lit de Nicole.

∴

Ewart réveilla James à onze heures du matin. Pour la première fois depuis le début de la mission, son tempérament volcanique semblait avoir pris le dessus.

— Lève-toi *immédiatement*, gronda-t-il.

— Qu'est-ce qui se passe ? gémit le garçon, encore tout ensommeillé.

Le contrôleur de mission le saisit par le poignet et le traîna sans ménagement jusqu'à la salle de bains. Il verrouilla la porte et le plaqua contre le mur.

— Je ne peux pas hausser le ton tant que Dinesh se trouve dans la maison, chuchota-t-il. Mais je te conseille de ne pas me mentir à propos de ce qui s'est passé hier soir.

— Je n'ai rien fait, gémit James.

— Ah bon ? Et est-ce que tu peux m'expliquer ce que c'est que ça ? demanda Ewart en exhibant la paille de métal de Junior.

Il y avait encore des traces de poudre à l'une des extrémités.

— Elle n'est pas à moi.

— Tu mens. Je l'ai trouvée dans ton jean, dans le panier à linge sale.

James réalisa qu'il devait l'avoir glissée dans sa poche au moment où Kelvin avait annoncé la fin de la soirée.

— Je te jure que je n'ai jamais pris de coke. Elle appartient à Junior. J'ai dû la prendre par inattention.

Ewart ouvrit l'armoire à pharmacie et en sortit un petit flacon de plastique.

— C'est ce qu'on va voir. Donne-moi un échantillon d'urine. Ne t'inquiète pas. Kyle et Kerry y passeront aussi. Tous ceux qui ont pris de la cocaïne hier soir seront virés de CHERUB.

James était soulagé de pouvoir prouver son innocence grâce à un test scientifique.

— Donne-moi ce flacon, dit-il avec un sourire confiant. Je suis clean, je te dis. Tu veux parier ? Cinquante livres ? Cent livres ?

— Pisse dans ce truc et ferme-la, lança Ewart.

James saisit le récipient, fit sauter la capsule de

plastique et se tourna devant les toilcttes. Malheureusement, la présence de l'homme à ses côtés le rendait nerveux et il ne parvenait pas à se concentrer.

— Tu peux attendre dehors ?

— Non, désolé. Essaie de penser à quelque chose d'humide, une fontaine, une chute d'eau, ou un truc dans ce genre.

James ferma les yeux, respira calmement et parvint à remplir le flacon.

— Alors, ce pari ? dit-il avec un air malicieux.

— Retourne dans ta chambre et demande à Kyle de venir, répondit Ewart, visiblement hors de lui.

James éprouvait un profond sentiment d'autosatisfaction. Il était impatient de voir la tête de son contrôleur de mission lorsqu'il serait informé des résultats des analyses. Puis une pensée terrifiante germa dans son esprit : et si Kelvin leur avait demandé de quitter les lieux quelques secondes plus tard ?

Il revit le sous-sol enfumé, la boîte de poudre blanche à quelques centimètres de son visage. Il réalisa qu'il avait été à deux doigts de commettre l'irréparable et d'être chassé de CHERUB.

22. Une héroïne

Dans l'après-midi, James reçut un appel de Junior.

— Salut, mec.

— Eh, t'as l'air d'avoir la pêche, dit James. T'es au courant de ce qui s'est passé ?

— Évidemment. Quel bordel. Les flics ont arrêté plus de quatre-vingts membres de GKM, cette nuit, et j'ai une gueule de bois d'enfer. Mon père pense qu'il est sur le point de se faire coffrer. Il passe son temps caché derrière les rideaux à surveiller la rue.

— Mr Singh a été arrêté, dit James. Dinesh a passé la nuit à la maison. Ewart l'a emmené à l'aéroport. Il est allé à Barcelone pour retrouver sa mère.

— Ils ont arrêté l'oncle George et l'oncle Pete, dit Junior. OK, ils ne sont pas vraiment de ma famille, mais ils travaillaient déjà avec mon père quand je suis né.

— Tu peux me dire pourquoi tu sembles d'aussi bonne humeur ?

— Nicole, mon pote. Je lui ai mis les mains *partout*. Tu m'en veux pas, hein ? Je sais bien que c'est ta sœur, mais…

— Elle est à l'hôpital. Overdose de coke.

— Putain, je le crois pas ! s'étrangla Junior. Je comprends pourquoi je n'arrivais pas à l'avoir au téléphone. Comment elle va ?

— Mieux, mais je crois que tu ne la reverras jamais. Elle a déjà eu des problèmes avec la drogue. Ewart et Zara ont peur qu'elle y passe. Ils l'ont inscrite dans un centre de désintoxication, à Londres.

Cette histoire avait été mise au point par Zara et Ewart pour justifier le départ soudain de Nicole.

— Je suis trop dégoûté. Excuse-moi, mec. Si j'avais su, je ne lui aurais jamais proposé de sniffer. Combien de temps elle va rester là-bas ?

— Ça dépend, répondit James un peu pris de court. Si ça se trouve, elle ne reviendra jamais. Oh, attends, il faut que je te laisse. J'entends la voiture de Zara. Si je ne l'aide pas à décharger les courses, elle va encore me passer un savon.

— D'accord. À plus tard. Au fait, April t'invite à déjeuner à la maison dimanche.

— Je vais voir. Je peux pas m'avancer, avec toute cette histoire. Je te rappelle.

Une voiture s'était bel et bien arrêtée devant la maison, mais c'était celle de l'agent John Jones. Zara, Kerry, Kyle et James s'installèrent devant une tasse de thé pour écouter l'homme leur détailler les événements qui s'étaient déroulés au cours des dernières vingt-quatre heures.

— Nous avions fini par penser que nous ne pourrions

jamais remonter la chaîne de GKM, mais vous avez découvert le maillon faible. Nous avons placé des caméras et des micros dans le laboratoire de conditionnement de Thunderfoods, et contrôlé les allées et venues depuis un poste de surveillance éloigné. Deux types venaient chaque jour pour mettre la coke en sachets. Comme c'est un boulot ennuyeux, ils parlaient sans arrêt, sans se méfier. Ils nous ont tout balancé en détail : des noms, des dates, des numéros de téléphone, des horaires de vols. Lors de certaines enquêtes, il m'est arrivé de planquer pendant des mois sans découvrir quoi que ce soit. Là, nous avons obtenu une telle masse d'informations qu'il nous a fallu faire venir du personnel supplémentaire. Nous avons déjà procédé à une centaine d'arrestations, mais ce n'est qu'un début. Nous avons communiqué des fiches de signalement à tous les postes de police du pays. Deux cents à trois cents suspects vont se faire serrer dans les jours à venir. Quand on en aura fini, GKM devra s'estimer heureux de pouvoir vendre des bonbons dans une fête foraine.

— Je viens de parler à Junior, dit James. Son père n'a pas été arrêté.

— Ça, c'est de la politique. Le MI5 souhaitait poursuivre la surveillance jusqu'à l'obtention de preuves formelles contre Keith Moore, mais la police a décidé de passer à l'action sans attendre. Ils sont sous pression. L'opération Sniff emploie plusieurs centaines de flics et d'agents des services administratifs. Ce dispositif leur coûte plus d'un million de livres par mois.

Selon certaines rumeurs, le ministère envisagerait de couper les crédits, faute de résultats.

— Qu'est-ce qui empêche Keith Moore de quitter le pays ? s'interrogea Kerry.

John semblait mal à l'aise.

— Rien. C'est pourquoi il nous faut agir vite. Nous avons assez de preuves pour mettre certains hauts responsables de GKM en prison pour vingt ans. Nous devons les pousser à collaborer. Nous allons leur offrir l'immunité totale. Ces types ont une famille. Je pense que nous parviendrons à persuader deux ou trois d'entre eux de balancer leur boss.

— Qu'est-ce que vous attendez de nous, maintenant ? demanda Kyle.

— Je doute que vous parveniez à rééditer l'exploit de l'entrepôt. En attendant qu'une décision soit prise, continuez à surveiller vos cibles.

— J'ai appelé Mac pour lui expliquer ce qui était arrivé à Nicole, dit Zara. Ça ne l'étonne pas vraiment, mais il veut que vous soyez mis à l'écart de ces tentations au plus vite. Je pense que nous serons de retour au campus dans quelques semaines. Vous pouvez commencer à faire courir le bruit qu'Ewart s'est absenté pour un entretien d'embauche.

Avant de prendre congé, John Jones salua tous les membres de l'équipe.

— Et toutes mes félicitations à notre héroïne, dit-il en serrant la main de Kerry.

Cinq minutes après le départ de l'agent du MI5, la

jeune fille souriait toujours. James, excédé, lui lança la peluche de Joshua au visage. L'incident dégénéra en une mémorable bataille de coussins, puis ils se pourchassèrent dans toutes les pièces de la maison.

— Je suis une héroïne ! scandait Kerry en fuyant devant son ami. Une héroïne ! une héroïne ! une héroïne !

Ils finirent par rouler pêle-mêle sur le sol. Kerry immobilisa James, saisit une de ses chevilles et lui chatouilla énergiquement la plante du pied. Elle connaissait le point faible de son adversaire. Il supporta cette torture pendant trente secondes.

— OK, bégaya-t-il en laissant échapper un long filet de salive. Tu es une héroïne, tu es une héroïne.

Kerry se redressa d'un bond. Son sourire s'évanouit.

Ewart et Nicole se tenaient immobiles dans l'entrée. Leurs visages étaient graves. James se leva à son tour et essuya ses lèvres d'un revers de manche.

— J'ai les résultats de vos prélèvements, dit le contrôleur de mission. Vous êtes tous les deux hors de cause. Je passe l'éponge sur ton taux d'alcoolémie, James, mais je te donne un avertissement. Vous êtes autorisés à boire quelques verres lorsque la mission l'exige, pas à vous mettre minables.

— Tu devrais être heureux d'avoir économisé cinquante livres, dit le garçon avec un large sourire.

Ewart le considéra d'un œil noir. Il n'était visiblement pas d'humeur à plaisanter.

— Aidez Nicole à faire ses bagages. Je la reconduis au campus dans une demi-heure. Où est Kyle ?

— Dans la cuisine, dit Kerry.

— J'ai deux mots à lui dire.

Sur ce il ouvrit la porte d'un coup de pied.

— Pourquoi est-il en colère contre Kyle ? demanda Kerry à Nicole.

— Je sais pas et je m'en fous, dit la jeune fille d'un ton amer. Je suppose qu'il s'est défoncé, lui aussi.

— Impossible, protesta James.

— Je ne dis pas que je l'ai vu sniffer, mais il a passé ces dernières semaines à traîner dans des fêtes super louches.

— Oh ! mon Dieu, dit Kerry en enfouissant son visage dans ses mains. Ça me donne envie de pleurer.

Les trois agents gravirent l'escalier.

— Comment tu te sens ? demanda Kerry à Nicole.

— J'ai un peu mal au bide et j'ai l'impression qu'un éléphant s'est assis sur ma tête. Sinon, ça va.

— Ça me fait de la peine, ce qui t'est arrivé, lâcha James tandis qu'ils entraient dans la chambre des filles. Ça aurait pu arriver à chacun de nous.

Nicole sourit.

— Tu m'étonnes. On peut même dire que tu as eu chaud.

— Qu'est-ce que tu racontes ? s'étonna Kerry.

— Il allait se faire une ligne, mais on a été dérangés.

— Espèce d'abruti, dit la jeune fille en repoussant son camarade. Quand je pense que tu as osé me dire que tu avais essayé de l'en empêcher !

— J'ai jamais dit ça, dit James en se balançant nerveusement d'un pied sur l'autre.

— C'est *exactement* ce que tu as dit.

— Alors comme ça, Kerry, tu penses que tous ceux qui prennent de la drogue sont des abrutis ? lança Nicole.

— Parfaitement. Si tu avais perdu connaissance dans ton lit, on t'aurait sans doute retrouvée morte ce matin.

— Ce que tu peux être coincée. Lâche-nous un peu avec tes grands airs de sainte nitouche.

— Tu veux quoi ? Que je te félicite d'être virée de CHERUB ?

— J'en ai rien à foutre de cette bande de grosses têtes prétentieuses qui se la racontent à cause de la couleur de leur T-shirt et du nombre de missions qu'ils ont accomplies. Mac va me trouver une chouette famille d'accueil et une place dans une super école privée. Comme ça, je pourrai enfin avoir un petit ami et mener une vie normale.

— Attends, tu ne comprends pas ce que je te dis, pauvre tarée ? cria Kerry en se frappant la tempe. Tu as failli crever, cette nuit.

— Tu ne sais même pas de quoi tu parles, lança Nicole en repoussant violemment son interlocutrice.

— Ne me touche pas, dit Kerry en se haussant sur la pointe des pieds. Je pourrai te botter le cul avec une main attachée dans le dos, mais j'ai pas envie de gâcher mon énergie à corriger une traînée à deux balles dans ton genre.

Sur ces mots, elle tourna les talons. James s'apprêtait à la suivre, mais Nicole le retint par le poignet.

— Aide-moi à faire mes bagages, implora-t-elle, des sanglots dans la voix. S'il te plaît.

— Reste avec elle, lâcha Kerry. Et vérifie qu'elle ne me pique rien.

Elle claqua la porte et dévala les marches d'un pas lourd. Nicole tira un sac de sport de sous le lit et commença à y fourrer ses affaires.

— Tu sais, James, dit-elle, je t'adore. Tu es comme moi, tu n'es pas fait pour vivre à CHERUB.

— Tu te plantes complètement. Tu n'imagines même pas à quel point je suis heureux de faire partie de cette organisation. Bon, c'est vrai, des fois ça me soûle tous ces cours et cet entraînement. Mais ma vie d'avant était un vrai cauchemar. Je vivais dans un orphelinat pourri, et je n'arrêtais pas de faire des conneries. Si CHERUB ne m'avait pas recruté, j'aurais probablement fini en prison.

— Ben moi, je suis bien contente de me barrer, dit la jeune fille en fermant son sac. J'espère juste qu'ils ne me placeront pas chez un couple de vieux cons.

— C'est quoi, ton problème avec les personnes âgées ?

Nicole s'assit au bord du lit.

— Tu sais que toute ma famille est morte dans un accident de la route ?

— Oui.

— Ils traversaient une rue, sur un passage piétons, en pleine journée. Un vieux bon pour l'hospice a grillé un feu rouge et leur a roulé dessus. Quand les experts judiciaires ont testé sa vue, ils ont réalisé que ce connard était presque aveugle.

— C'est moche. Je suis désolé.

— Ils l'ont laissé en liberté à cause de son âge. Ils ont

eu pitié de lui. Ma mère, mon père et mes petits frères ont été tués, et lui, il mène sa petite vie peinarde, comme si rien ne s'était passé. Alors, ceux qui me demandent d'avoir du respect pour les vieux, ils peuvent aller se faire foutre.

Ewart passa la tête dans l'encadrement de la porte.

— Tu es prête, Nicole ?

— Presque.

— On se retrouve en bas de l'escalier dans cinq minutes.

— Tu ne me souhaites pas bonne chance, James ?

— Bien sûr que si, répondit-il en la serrant dans ses bras.

Une larme roula sur la joue de la jeune fille.

James porta ses bagages jusqu'au minibus. Il remarqua que Kerry avait battu en retraite dans le salon. Elle gardait les bras croisés, une expression renfrognée sur le visage. Cette situation le mettait mal à l'aise. Ses deux amies s'étaient toujours bien entendues.

Zara sortit de la cuisine et enlaça Nicole.

— Bonne chance, ma chérie, murmura-t-elle.

Lorsqu'elle entendit le moteur gronder, Kerry, n'y tenant plus, courut rejoindre James et Zara. Tous trois firent des signes de la main à leur camarade jusqu'à ce que le véhicule disparaisse au coin de la rue.

— J'espère qu'elle s'en sortira, gémit Kerry.

— Elle va être placée dans une bonne famille, dit Zara. Je pense que son comportement s'améliorera avec le temps. Tout le monde n'est pas fait pour être un agent.

— Au fait ! s'exclama James. Qu'est-ce qui s'est passé avec Kyle ?

— Vous n'aurez qu'à lui demander, répondit la contrôleuse de mission. C'est à lui de décider s'il veut vous en parler.

∴

Kyle boudait ferme, couché à plat ventre sur son lit.

— Alors, qu'est-ce qui t'est arrivé ? demanda James.

— Ils ont trouvé du cannabis dans mes urines, répondit le garçon. Toutes les drogues disparaissent au bout de quelques jours, sauf celle-là, qui traîne trois semaines dans le système sanguin.

— Tu en as *vraiment* fumé ? s'indigna Kerry.

— Vu les fêtes où je suis allé, je n'avais qu'à respirer l'air ambiant pour obtenir un contrôle positif.

— Comment ça se fait que tu ne t'es pas fait virer de CHERUB ?

— Le cannabis est une drogue de classe C. Normalement, j'aurais dû retourner au campus, mais ils ne pouvaient pas me faire disparaître le même jour que Nicole.

— Je suppose que tu n'es pas pressé de rentrer, dit James en souriant.

— Tu m'étonnes. À tous les coups, je vais être suspendu de mission temporairement et me taper toutes les corvées pendant plusieurs semaines.

23. Gambas sauce vindaloo

Le dimanche matin, James jouait à la PlayStation, les pieds sur la table basse, lorsque Ewart fit irruption dans le salon.

— Tu comptes passer ta journée à glander ? demanda-t-il.

— J'avais pas vraiment d'autres projets.

Il avait peu dormi au cours des deux semaines écoulées, et il était heureux de pouvoir enfin profiter d'un moment de détente à la maison.

— Et les livraisons ?

— J'ai reçu un coup de fil de Kelvin, soupira James, avant de mettre le jeu sur pause. La nana qui nous faisait passer les commandes a été arrêtée. De toute façon, les clients sont au courant pour les arrestations, et ils se font plutôt discrets.

— Alors, Kelvin t'a mis au chômage technique ?

— Non, mais il dit qu'il va leur falloir du temps pour renouveler le stock et mettre en place un nouveau système de distribution. Il a peur que les autres gangs ne leur piquent une grosse part du gâteau, mais il pense que GKM peut tenir la distance et revenir au top, si Keith Moore n'est pas arrêté.

— Tu as des nouvelles d'April et Junior ?

— Ils m'ont invité à déjeuner, mais ça me gonfle.

Ewart fronça les sourcils.

— Attends, tu te fous de moi, là ?

— Ben, la mission est presque terminée, dit James en haussant les épaules. On sera tous de retour au campus dans une semaine ou deux.

— L'opération se poursuivra tant que Keith ne sera pas derrière les barreaux, ou qu'on ne nous aura pas donné l'ordre de rentrer à la maison. De toute l'équipe, tu es le plus proche des enfants Moore, le mieux placé pour savoir ce que leur père mijote.

James éteignit la PlayStation, visiblement très contrarié.

— J'ai compris, grommela-t-il. Je vais rappeler Junior.

∴

Ewart laissa James devant la villa des Moore, puis déposa Kerry chez Dinesh, à quelques centaines de mètres de là.

James s'attendait à découvrir une ambiance pesante, mais Keith, vêtu d'un simple maillot de bain, l'accueillit avec un large sourire. Malgré les efforts de la femme de ménage, il était évident au premier coup d'œil que la vaste demeure était livrée à un père célibataire et ses quatre enfants. Le sol était jonché d'assiettes sales, de chaussures et de coussins. James trouvait ça fantastique. Il haïssait les mères de famille maniaques qui piquaient une crise pour un verre posé au mauvais endroit.

— Entre, dit Keith. On est en train de se détendre dans la piscine.

— Je pensais pas qu'on allait se baigner. J'ai rien à me mettre.

— T'inquiète. Va voir en haut, chez Junior. Il y a environ dix maillots de bain dans le tiroir du milieu.

— Merci.

La chambre de son ami était immense. Elle était équipée d'une télé grand format, d'une penderie pleine à craquer de vêtements plus cools qu'il ne le prétendait et d'un distributeur de chewing-gums. Ce n'était pas trop mal pour un garçon qui passait son temps à crier misère.

James se déshabilla puis enfila un short de bain orange imprimé d'hippocampes.

La piscine intérieure, entourée de palmiers en pot et de bacs à fleurs, mesurait une quinzaine de mètres.

Ringo et Keith faisaient des longueurs. April et Junior, eux, se détendaient dans le jacuzzi. James plongea dans l'eau bouillonnante, s'assit près de sa petite amie et l'embrassa sur la bouche. C'était la première fois qu'il la voyait aussi dénudée, et il la trouvait particulièrement bien foutue. Finalement, il était heureux qu'Ewart l'ait forcé à quitter la maison.

Keith sortit de la piscine. James ôta sa main du dos de la jeune fille.

— Je vais commander le déjeuner, dit-il. Qu'est-ce qui vous ferait plaisir ?

— Indien, dit April.

— Pizza, dit Junior.

— Match nul, conclut Keith. Dans ce cas, c'est l'invité qui décide.

James ne raffolait pas de la nourriture indienne, mais sa copine lui faisait discrètement du pied dans les profondeurs du jacuzzi.

— Indien, lâcha-t-il.

— Espèce de traître, gronda Junior avant de l'arroser copieusement.

James, Junior et April se livrèrent à une sauvage bataille d'eau, se séchèrent, puis enfilèrent des peignoirs. Une fois le livreur passé, ils s'installèrent sur des coussins autour de la table basse où étaient posés les cartons de nourriture indienne. Ringo et Keith s'assirent sur le canapé.

Keith tendit la télécommande vers la télé plasma suspendue au mur, puis sélectionna le canal de *News 24*. Ils commencèrent à manger avec les doigts en échangeant des banalités. Un policier apparut à l'écran. James déchiffra l'incrustation figurant en bas de l'image : *Superintendant Carlisle, responsable de l'opération Sniff.*

« Au cours des trois derniers jours, nous avons procédé à cent cinquante arrestations. La lutte contre le trafic de drogue dans ce pays a franchi un cap décisif… »

Une gamba sauce vindaloo atterrit sur le front du superintendant Carlisle, puis glissa lentement vers le bas de l'écran.

— Viens me chercher si t'es un homme ! cria Keith avant de lancer une nouvelle poignée de nourriture à la face du policier.

Ses enfants bombardèrent à leur tour la télé de tout ce qui leur tombait sous la main. Ils riaient à gorge déployée, mais cette démonstration de joie sauvage sonnait faux. En vérité, ils ne faisaient qu'exorciser leur terreur de voir l'empire Moore s'écrouler.

Junior se tourna vers son père.

— Au fait, tu as parlé à James, pour Miami ?

— Non, répondit Keith.

— Miami ? répéta James.

— C'est là que j'emmène les garçons pour les vacances d'octobre. Mais cette année, Ringo ne veut pas venir avec nous. Il a trop de travail, il paraît.

— La vérité, expliqua April, c'est qu'il veut organiser une fête monstrueuse. Quand on rentrera, je vous parie qu'on retrouvera la maison rasée jusqu'à la cave.

— Espèce de balance, grinça Ringo sans desserrer les dents.

— Du coup, dit Junior, vu qu'on a déjà payé les billets d'avion, papa m'a proposé d'inviter un copain.

— Génial, dit James, un large sourire sur le visage. Il faut que je voie avec mes parents, mais je pense que ça ne posera pas de problème. Tu viens avec nous, April ?

— Non. Erin et moi, on va au ski avec maman.

— Tradition familiale, expliqua Keith. Avant le divorce, on passait nos vacances tous ensemble, mais je devais prendre sur moi pour ne pas étrangler ma femme, et Junior et April s'entre-tuent lorsqu'ils sont ensemble plus de trois heures consécutives. Quant à Erin…

— Nous pensons que la véritable Erin a été enlevée à sa naissance et remplacée par un extraterrestre venu de Neptune, expliqua Junior.

— Maintenant que j'y pense, je suis venu ici une bonne dizaine de fois, et je ne l'ai jamais vue, dit James.

Keith secoua la tête.

— Elle a beau être ma fille, j'avoue que je n'ai toujours pas compris de ce qui pouvait bien se passer dans sa petite tête. Alors je la laisse vivre sa vie.

— Tu vas adorer Miami, dit Junior. Il y fait une chaleur d'enfer, et notre maison est située sur la plage. Le matin, tu peux sortir de ton lit et te retrouver dans la mer en moins de trente secondes.

— Je vais appeler Zara tout de suite, dit James.

— Kyle est chez toi ? demanda Ringo.

— Sûrement. Tu veux lui parler ?

Le garçon adressa à son père un sourire malicieux.

— Dis-lui simplement qu'il est invité à une fête à tout casser, ici, vendredi en huit.

Keith éclata de rire. James était sidéré qu'il puisse se comporter de façon aussi détendue malgré le stress qu'il devait subir. À ses yeux, c'était sans doute le père le plus cool de la terre.

— Allez, tu peux l'organiser, ta fête, dit Keith. Mais je te préviens que Kelvin et ses hommes joueront les chaperons, juste au cas où l'un de tes copains se mettrait en tête de pisser sur la moquette ou d'écraser sa cigarette sur le tapis égyptien.

— Oh non ! protesta Ringo. Tes gorilles vont pourrir l'ambiance…

— Ne t'inquiète pas. Je leur demanderai de se faire tout petits.

James passa un bref coup de fil à Zara pour l'informer de la proposition. Elle lui donna son accord sans hésiter.

.:.

James regagna la maison à la tombée de la nuit. La Toyota de John Jones était garée le long du trottoir. L'homme se trouvait dans le salon, en compagnie des autres membres de l'équipe.

— Qu'est-ce qui se passe ? demanda James.

— Il faut qu'on parle de tes vacances, dit l'agent du MI5.

— C'est si important que ça ?

— Miami est une plaque tournante du trafic de drogue. Keith Moore ne possède pas une villa là-bas par hasard. Il existe un proverbe chez les trafiquants : « Si tu cherches un gramme de cocaïne, va faire un tour au coin de la rue. Si tu cherches une tonne de cocaïne, paye-toi un billet pour Miami. » En ce moment même, une vingtaine de gangs s'attaquent au marché de GKM. Keith doit à tout prix reconstituer son stock pour remettre son organisation sur les rails. La plupart de ses lieutenants ont été arrêtés, et il ne sait plus à qui faire confiance. Il va s'occuper lui-même de la transaction.

— Alors, qu'est-ce que je dois faire ?

— GKM est en affaires depuis des années avec le cartel de Lambayeke, un gang de trafiquants péruviens. Pour leur payer la marchandise, Keith va devoir transférer des millions de dollars depuis des comptes secrets ouverts dans des paradis fiscaux. Si nous parvenons à découvrir de quelle banque et de quel État vient l'argent, nous pourrons reconstituer toute la structure financière de l'organisation. Il s'agit d'un montage complexe dont aucun être humain ne pourrait mémoriser tous les détails. C'est pourquoi je pense que Keith va se rendre à Miami avec les informations nécessaires, coordonnées bancaires et numéros de compte, et je parie qu'elles se trouveront sur le disque dur de son ordinateur portable. Tu vas vivre avec lui pendant sept jours. C'est l'occasion ou jamais de mettre la main sur ces données.

James sourit.

— Et moi qui pensais me la couler douce sur la plage…

— Je vais te ramener au campus immédiatement, dit Ewart. Tu vas suivre une formation complémentaire de deux jours. Ce ne sera sans doute pas suffisant, mais tu ne peux pas quitter Thornton plus longtemps sans attirer les soupçons.

— Comment je vais expliquer mon absence ?

— Tu avais prévu de passer les vacances chez ta tante, en compagnie de ta cousine Lauren. Tu as anticipé cette visite à cause de ton voyage à Miami.

24. Windows ME

James n'avait pas aussi bien dormi depuis des siècles, loin de la maison de Thornton, de son matelas défoncé aux ressorts saillants, du sommeil agité de Kyle, du rugissement des avions de ligne et des manifestations nocturnes de la plomberie défaillante. À son réveil, il mit un CD de Metallica et dansa comme un possédé sous la douche, sans crainte d'être ébouillanté dès que son coude effleurait le mitigeur.

Il enfila son uniforme de CHERUB et se dirigea vers le réfectoire. Tandis qu'il attendait l'ascenseur, il se dit que le bâtiment principal avait tout d'un hôtel de luxe, et qu'il n'y manquait guère qu'un service d'étage.

Il se servit une pleine assiette de tranches de bacon et de galettes de pommes de terre, puis demanda à l'employé du self-service de lui faire frire une omelette aux champignons.

La plupart des agents avaient déjà rejoint leur salle de classe. Amy, seule à une table, plongeait une mouillette dans son œuf à la coque.

— Tu portes un T-shirt blanc ? fit remarquer James, stupéfait.

Seuls les agents ayant achevé leur carrière à CHERUB se voyaient attribuer cette distinction.

— Eh oui, dit la jeune fille. Je suis à la retraite.

James était consterné.

— J'ai dix-sept ans, poursuivit-elle. J'ai eu mon bac cet été. Je travaille ici comme assistante pour me faire un peu d'argent, et puis je vais voyager pendant quelques mois. J'entre à l'université en janvier.

— Où ça ?

— À Cairns, en Australie. Mon frère habite là-bas.

— Mais c'est à l'autre bout du monde ! On ne se reverra sans doute jamais...

— Si je te manque, tu n'auras qu'à sauter dans un avion. Mon frère va monter une école de plongée quand il aura fini ses études. Il m'a fait visiter la Grande Barrière de corail. C'est tellement beau, tu ne peux pas savoir.

— C'est toi qui es chargée de mon instruction ?

Amy hocha la tête.

— Ouais, et t'as intérêt à te tenir à carreau. Maintenant que je fais partie de l'équipe, je suis autorisée à infliger des punitions.

— Super, dit James. Tu as déjà fait des victimes ?

— Une seule. Je travaillais avec l'un des instructeurs de judo. Un T-shirt rouge n'arrêtait pas de me contredire. Il nettoie les vestiaires du parcours de cross-country depuis une semaine.

— J'espère qu'il aime la boue. Il a quel âge ?

— Huit ans. Je peux te garantir qu'il fait moins le malin. Il n'a que des *Oui mademoiselle, non mademoiselle, bien sûr mademoiselle* à la bouche.

— Alors, quel est le programme ?

Amy posa une pile de livres sur la table. L'un deux, intitulé *Guide du pirate informatique*, devait compter un millier de pages.

— Je ne te cache pas que les deux journées à venir vont être bien remplies. Je suis chargée de t'enseigner quelques techniques de base afin que tu puisses inspecter l'ordinateur de Keith Moore. Ensuite, je t'expliquerai les rudiments du système bancaire international.

— C'est vraiment nécessaire ?

— Si Keith mentionne un euro CD ou un order party au téléphone, il vaudrait mieux que tu saches qu'il ne parle pas de sa dernière soirée en boîte.

— Ça va pas être une partie de plaisir, soupira James en feuilletant l'un des énormes manuels.

Amy ignora sa remarque.

— Le MI5 est en train de te préparer un dossier sur le cartel de Lambayeke. Ils l'enverront par e-mail cette nuit et nous travaillerons dessus demain matin. Dans l'après-midi, tu auras droit à un exercice de piratage en situation réelle.

⁂

Normalement, un agent disposait d'au moins deux semaines pour étudier les détails d'une mission, mais James et Amy ne s'étaient vu accorder que deux jours. À vingt heures, la jeune fille décida de mettre un terme aux souffrances de son élève.

— J'ai envie de nager, dit-elle. Tu viens ?

Le campus abritait quatre piscines, dont l'une disposait de plongeoirs et de toboggans, mais ils choisirent le bassin des débutants, en souvenir du bon vieux temps. C'est là que James avait appris à nager, un an plus tôt.

Ils effectuèrent dix longueurs. Il parvint à suivre la cadence d'Amy jusqu'au dernier virage, puis elle produisit son effort et lui mit une dizaine de mètres dans la vue. Ils s'assirent au bord du bassin. James avait l'impression que ses poumons allaient exploser.

— Tu progresses, dit la jeune fille, sans trahir le moindre signe d'essoufflement. Quand tu auras un peu plus de muscle et un peu moins de graisse, je commencerai à me faire du souci.

— Dans quelques années, je viendrai te voir en Australie. Si tu es d'accord, bien entendu.

— Bien sûr que je suis d'accord. Mon frère reçoit souvent la visite de ses vieux copains de CHERUB.

— C'est drôle, je n'ai jamais repensé à mes anciens potes, alors que je me sens très proche de mes nouveaux amis.

— C'est un phénomène psychologique bien connu.

— Qu'est-ce que t'y connais, toi ?

— Je vais suivre des cours à l'université. Ils m'ont donné une liste de bouquins à lire avant la rentrée.

— Eh ben vas-y, grosse tête, sors ta science.

— Tu vois, James, tous les êtres humains ont besoin de partager leur existence avec quelqu'un, leur père, leur mère, leur conjoint ou leurs enfants. Comme les agents de CHERUB n'ont pas de parents, ils reportent leur affection sur leurs camarades. Tu n'imagines même pas le nombre d'agents qui finissent par se marier entre eux. Comme tu es arrivé à CHERUB quelques mois après la mort de ta mère, il est naturel que tu te sois attaché à ceux qui t'entouraient.

— Comme toi, parce que tu m'apprenais à nager.

Amy hocha la tête.

— Et Kerry, parce qu'elle était ta partenaire pendant le programme d'entraînement. À ce propos, je ne comprends pas pourquoi vous n'êtes toujours pas ensemble.

— Tu ne vas pas t'y mettre, protesta James. Kyle n'arrête pas de me bassiner avec cette histoire.

— Vous allez tellement bien ensemble. J'adore la façon dont vous vous chamaillez comme un vieux couple.

C'était plus que James ne pouvait en supporter. Il sauta dans la piscine et nagea énergiquement vers le fond.

∴

Le dossier du MI5 concernant le cartel de Lambayeke contenait plus de trois cents pages de synthèses, de photos et de cartes. James et Amy passèrent toute la journée de mardi, enfermés dans l'une des salles de mission, à le parcourir en diagonale pour en surligner les passages les plus importants.

Cette étude achevée, Amy alla chercher cinq PC portables à l'économat et les aligna sur un bureau. Puis elle sortit de son sac un vieux minuteur de cuisine mécanique et le régla sur quinze minutes.

— Chacun de ces PC contient une liste de numéros de cartes de crédit, expliqua-t-elle. Pour réussir cet exercice, tu dois les retrouver en un quart d'heure, sans laisser de traces de ton passage.

— Je commence par lequel ?

— Comme tu veux, dit Amy en appuyant sur le bouton du minuteur. C'est parti.

James choisit un ordinateur au hasard.

— Je fais quoi ?

— Et si tu commençais par l'allumer ? Je te conseille de consulter le BIOS avant le démarrage de Windows.

James lut à haute voix les indications qui apparaissaient à l'écran.

— Deux cent cinquante-six mégas de mémoire vive. Windows ME. Le disque dur n'est pas partitionné. S'il tourne sur ME, il utilise un système de fichiers FAT 32, donc si j'appuie sur F8 et que j'entre en mode DOS, je devrais pouvoir ouvrir n'importe quel fichier, même s'il est protégé par un mot de passe.

James balaya le bureau du regard puis s'empara d'une disquette.

— C'est l'utilitaire qui permet de lister tous les fichiers ?

— Je n'ai pas le droit de t'aider.

James examina les flancs du PC à la recherche du lecteur de disquettes.

— Oh, cette bécane pourrie n'a même pas de lecteur. Il y a un lecteur externe dans le coin ?

Amy secoua la tête.

— Alors, je fais quoi ?

Elle haussa les épaules.

— Il te reste douze minutes.

James n'avait aucune idée de la procédure à mettre en œuvre. Le tic-tac du minuteur était horripilant. Il l'aurait volontiers balancé par la fenêtre.

— Neuf minutes.

— File-moi un indice, supplia-t-il. Je suis complètement bloqué. Comment faire tourner cette foutue disquette ?

— L'ordinateur dispose d'une interface réseau à l'arrière. Tu pourrais le connecter à l'un des ordinateurs équipés d'un lecteur de disquettes. Après, il te suffirait de modifier les préférences de ce dernier pour le configurer en serveur. Ainsi, tu pourrais t'en servir comme d'un lecteur externe.

— Je n'arriverai jamais à faire tout ça en neuf minutes, soupira James.

— Effectivement, il y a plus simple.

— Qu'est-ce que je dois faire ?

— Tu te souviens de la règle numéro un du piratage informatique ?

— L'humain est plus faible que la machine.

Amy hocha la tête.

— Tu cherches midi à quatorze heures, James. Tu considères comme acquis que les informations sont cryptées, mais tu n'as même pas vérifié. Je te rappelle que pour ouvrir un document, il suffit de double-cliquer sur l'icône.

— Tu es en train de me dire que j'ai perdu six minutes pour rien ?

— Presque sept en fait, dit Amy avec un sourire malicieux.

James éteignit l'ordinateur et recommença la procédure depuis le début.

Seules quelques applications étaient installées sur le disque dur, et tous les documents étaient rassemblés dans un fichier unique. James l'ouvrit et découvrit un dossier baptisé *Numéros de cartes*. Il double-cliqua sur l'icône. Un message apparut à l'écran : *Tu ne pensais quand même pas que ça allait être aussi facile ?*

James n'était pas d'humeur à plaisanter. Il considéra la longue liste de documents. Il n'avait pas le temps de les ouvrir un à un. Il cherchait une liste de numéros. Le fichier devait être relativement léger. Il réorganisa la fenêtre de façon à obtenir une liste des documents classés par ordre croissant de taille. Il la fit défiler.

— Trois minutes, lança Amy. Tu ferais bien de te magner, cow-boy.

Certains fichiers exigeaient un mot de passe à l'ouverture. James créa un nouveau dossier et les y fit glisser.

Il recherchait une combinaison de lettres et de chiffres. La règle numéro deux du piratage lui revint en mémoire : *75 % des mots de passe sont faciles à deviner.* Il commença par taper la liste des mots de passe les plus fréquents qu'Amy lui avait fait mémoriser la veille. *Mot de passe. Ouvrir. Sécurité.*

Il essuya échec sur échec. Il lui fallait en savoir plus sur le propriétaire de l'ordinateur. Il se souvint avoir consulté une lettre adressée à une école. Il ouvrit le document et le parcourut en diagonale. Il était signé Julian Stipe, et mentionnait les noms de ses trois enfants. James essaya *Julian*, *Stipe*, puis *Julian Stipe* avec et sans espace.

— Quatre-vingt-dix secondes, chuchota Amy.

Il entra tour à tour les prénoms des enfants. L'un des fichiers s'ouvrit lorsqu'il tapa *Jennifer*, mais ce n'était pas celui qu'il cherchait. Il parvint à accéder aux autres documents grâce au même mot de passe et finit par découvrir une page contenant plusieurs dizaines de numéros à seize chiffres.

— Bingo ! s'exclama-t-il.

— Quinze secondes, lança Amy.

— C'est bon, je les ai.

— Temps écoulé. J'espère que tu feras mieux la prochaine fois.

— Mais je te dis que j'ai les numéros, gronda James.

— Je sais que tu les as. Mais je t'avais demandé d'effacer toute trace de ton passage. C'était une bonne idée de déplacer les fichiers, mais tu aurais dû les remettre à leur place et effacer le dossier que tu avais créé. Tu es prêt pour un nouvel essai ?

— J'ai la tête qui tourne. Je peux avoir une pause de cinq minutes ?

— Vu ta piètre performance, je crois que tu ne l'as pas méritée.

Alors elle enfonça sur le bouton *reset* du minuteur.

25. Un homme brisé

James éprouva de telles difficultés pour venir à bout de l'épreuve d'informatique qu'Amy le retint enfermé dans la salle de mission jusqu'à vingt et une heures, afin de lui prodiguer des conseils supplémentaires. Son cerveau refusant obstinément d'assimiler toute nouvelle information, il devint irritable à l'égard de son instructrice.

Quand Amy décida de mettre fin à son supplice, les employés du réfectoire avaient achevé leur service. Toute la journée, James s'était réjoui à l'idée de profiter d'un vrai dîner avant de retourner à Thornton affronter la cuisine immangeable de Zara. La mort dans l'âme, il se rendit à l'entrepôt où il trouva quelques sandwiches et un plat à réchauffer au micro-ondes.

Il claqua bruyamment la porte de sa chambre. Il était d'une humeur de chien. Il fourra ses manuels de piratage dans son sac à dos, se déshabilla puis se dirigea vers la salle de bains. Une odeur de vase lui chatouilla les narines, un fumet comparable à la puanteur d'une paire de baskets après un match de foot disputé sur terrain boueux. Il s'approcha prudemment, craignant de découvrir un cadavre de rat ou une inondation provoquée par la rupture d'une colonne d'évacuation, et actionna l'interrupteur.

— Lauren ! s'exclama-t-il. Qu'est-ce que tu fous ici ?

La petite fille était recroquevillée derrière les toilettes. Son uniforme était maculé de boue. Elle avait les cheveux ras, une vilaine croûte à la joue, ainsi que les inévitables bleus, bosses et coupures récoltés au fil des épreuves du programme d'entraînement.

— Qu'est-ce qui se passe ? demanda James.

— J'ai fait une énorme connerie, gémit Lauren avant de fondre en sanglots.

Il essaya de la prendre dans ses bras, mais elle le repoussa violemment.

— Si tu veux que je t'aide, dit-il, il faut que tu me dises ce qui s'est passé.

— Je... je l'ai... frappé, bredouilla-t-elle.

Elle se redressa puis se jeta dans les bras de son frère. Son uniforme empestait la boue et la sueur.

— Là, calme-toi, murmura James en lui frottant tendrement le dos.

Il traîna la fillette hors de la salle de bains. Il avait l'impression de danser un slow avec une ivrogne. Il se débarrassa de son emprise et la fit asseoir sur le lit.

— Je l'ai frappé, répéta Lauren.

— Qui ça ?

— Mr Large.

James se laissa à son tour tomber sur le matelas.

— À mon avis, il n'a rien senti. Il fait dix fois ta taille.

— Oh si, et il s'en souviendra, tu peux me croire.

James saisit un Kleenex sur la table de nuit.

— Bethany s'est fait mal au dos, hier matin, expliqua Lauren. Ce soir, sur le parcours-combat, je faisais tout ce que je pouvais pour l'aider, mais on avait un retard pas possible. On est arrivées des heures après les autres élèves. Large a commencé à nous gueuler dessus. *Bande de minables ! Vous n'avez pas les tripes pour devenir des agents. Vous n'êtes même pas dignes de bouffer votre merde.* Il nous a filé des pelles et nous a donné l'ordre de creuser notre propre tombe.

C'était un numéro bien connu du répertoire de Mr Large. James et Kerry y avaient eu droit à deux reprises. L'instructeur ordonnait de creuser une tranchée profonde, puis de la combler. S'il considérait que la manœuvre n'était pas assez rapide, il fallait tout recommencer.

— C'était horriblement dur, poursuivit Lauren. J'ai réussi, mais j'ai fini complètement épuisée. Tu imagines dans quel état était Bethany, avec son dos cassé ? Large m'a fait mettre au garde-à-vous au bord de mon trou en attendant qu'elle termine. Au bout d'un moment, elle ne pouvait même plus soulever sa pelle. Elle a supplié qu'on lui donne à boire, alors Large l'a arrosée avec une lance d'incendie. Elle avait de la boue jusqu'aux genoux. Elle s'est mise à pleurer, et lui, il a commencé à reboucher sa tombe. Il lui envoyait des mottes de terre en hurlant : *T'as rien dans les bras, petite fille ! Tu perds ton temps ! Qu'est-ce que tu attends pour abandonner ?* Ça m'a rendue malade de voir ça. J'étais folle de rage. Fallait que je le fasse taire. Alors j'ai réalisé que j'avais toujours ma pelle entre les mains.

— Tu n'as pas fait ça ? demanda James, le souffle coupé.

— Si. Je l'ai frappé de toutes mes forces derrière les genoux. Le premier coup l'a à peine fait vaciller. Il s'est tourné vers moi. J'avais *tellement* peur. J'ai cru qu'il allait me tuer, alors je lui ai envoyé un deuxième coup de pelle. Il s'est cogné la tête contre une pierre en tombant et il a perdu connaissance.

James ne put s'empêcher de sourire.

— Tu as foutu une trempe à Mr Large ! La classe !

— C'est pas drôle, gémit Lauren. Pendant une minute, j'ai cru que je l'avais tué. Il saignait beaucoup de la tête. Je me suis enfuie du camp d'entraînement. Zara m'a dit que tu étais de retour au campus, mais comme je n'ai pas le droit d'accéder au huitième étage, je t'ai attendu ici.

James réfléchit quelques instants.

— Bon, il n'y a rien de dramatique. Commence par prendre une douche. Ensuite, on ira voir Mac pour lui expliquer ce qui s'est passé.

— Tu crois que je vais être virée de CHERUB ?

— Il faut être réaliste. Tu as assommé un instructeur. Les choses ne vont pas se tasser si facilement.

•••

James dégota parmi ses vêtements trop petits de quoi habiller Lauren. Ils descendirent au rez-de-chaussée mais trouvèrent le bureau de Mac fermé à clef. Ils s'adressèrent au réceptionniste du hall d'entrée.

— En général, monsieur le directeur regagne son domicile à vingt heures, expliqua-t-il. Mais vous avez de la chance. L'un des instructeurs du programme d'entraînement a été blessé, et je crois qu'il est à son chevet, au poste médical. Je peux le joindre sur son portable, si c'est urgent.

— Si ça ne vous dérange pas, dit James.

Le réceptionniste passa un bref appel téléphonique.

— Monsieur le directeur vous rejoindra dès que possible. Je ne sais pas ce que vous avez fait, tous les deux, mais vu le ton de sa voix, je n'aimerais pas être à votre place.

Quelques minutes plus tard, la voiture de golf de Mac pila devant la baie vitrée.

— Suivez-moi ! lança-t-il en traversant la réception comme un boulet de canon.

Il sortit un trousseau de clefs de la poche de sa veste et ouvrit la porte de son bureau.

— Installez-vous.

James et Lauren s'assirent devant le grand bureau de chêne. La fillette semblait sur le point d'éclater en sanglots.

— Eh bien, jeune fille, gronda Mac. Aurais-tu l'amabilité de me dire pourquoi mon instructeur en chef se trouve actuellement à l'unité médicale, avec huit points de suture sur le crâne ?

— Je suis vraiment, vraiment désolée, balbutia Lauren. Il a tout fait pour me rendre folle. Cette pauvre Bethany pouvait à peine tenir debout, et il la forçait à creuser, encore et encore.

— Si Bethany était blessée, elle aurait dû quitter le programme. Tu n'avais pas à interférer.

— Alors que va-t-elle devenir ? demanda James.

— J'ai horreur de mettre les gens à la porte, mais elle a agressé un membre de mon équipe, et je ne peux pas laisser passer ça.

— Je sais que ce qu'a fait Lauren est impardonnable, mais je pense que vous devez tenir compte des circonstances. Elle était épuisée, et Large torturait sa meilleure amie devant ses yeux. Honnêtement, monsieur, tous les agents ont rêvé de faire la même chose, à un moment ou un autre du programme d'entraînement. Elle a simplement eu la malchance d'avoir une pelle à portée de la main.

Mac posa une main sur sa bouche pour dissimuler un sourire amusé.

— Je suppose qu'il y a du vrai dans ce que tu dis, mais tu réalises sans doute que je perdrais toute autorité si je ne renvoyais pas Lauren. Nous allons la placer dans une bonne famille, tout près du campus. Tu pourras lui rendre visite chaque week-end.

— Vous pouvez l'envoyer à l'autre bout du monde, ça ne changera rien. Si elle s'en va, je pars avec elle. Nous avons été séparés à la mort de notre mère, et je refuse que ça se reproduise.

— Nous avons toutes les peines du monde à recruter des agents, dit Mac, et je n'ai aucune envie de vous perdre. Je veux bien permettre à ta sœur de rester parmi nous, mais elle devra subir une punition exemplaire. Si je passe l'éponge sur cette affaire, tous les résidents vont se sentir autorisés à frapper leurs instructeurs à la moindre contrariété.

— S'il vous plaît, gardez-moi, supplia la petite fille. Je ferai tout ce que vous voulez, je le jure.

— James, as-tu une idée de la sanction que nous pourrions infliger à Lauren ?

Mal à l'aise, ce dernier regarda sa sœur droit dans les yeux.

— Et si elle nettoyait les toilettes et les vestiaires jusqu'à la prochaine session d'entraînement ? suggéra-t-il. C'est la pire des punitions, selon ceux qui y ont eu droit.

Mac chassa la proposition d'un geste de la main.

— La durée me semble convenable, mais pour le reste, c'est une partie de plaisir. Cette corvée est réservée aux résidents qui jurent ou sèchent les cours.

— Je vois, marmonna James.

Soudain, il réalisa à quel point Mac s'était montré habile en l'incitant à choisir lui-même la punition de celle qu'il était venu soutenir.

— Je crois que j'ai une idée, dit l'homme en souriant. Nous avons un problème avec un fossé d'évacuation des eaux usées, dans les bois, à la limite du campus. Il est complètement bouché, et il se déverse régulièrement dans les champs. Je cherchais justement un volontaire pour le nettoyer. Il faudra travailler dur, chaque jour de la semaine, avant et après les cours, ainsi que le week-end. Qu'est-ce que tu en dis, Lauren ?

— Je mérite cette punition. Je n'ai rien à ajouter.

— Eh bien, voilà notre affaire réglée ! s'exclama Mac en frappant dans ses mains. Soyons précis, Lauren. Si tu commets la moindre infraction au règlement intérieur, tu seras virée. J'ai bien dit *la moindre*. Si tu cours dans le couloir, tu seras virée. Si tu ne rends pas un devoir, tu seras virée. Si tu arrives en retard en classe, tu seras virée. Pendant les trois mois à venir, je te conseille de marcher sur des œufs. Ton comportement devra être irréprochable. Ai-je été suffisamment clair ?

Lauren hocha la tête.

— J'ai encore une condition, et elle te concerne personnellement, James.

— Quoi ?

— J'ai accepté de donner une dernière chance à Lauren parce que tu me l'as demandé. En échange, je veux que tu promettes que tu resteras à CHERUB, même si ta sœur fait une bêtise et se fait foutre à la porte.

James réfléchit quelques secondes.

— Mais vous la placeriez dans une famille des environs, pour que je puisse la voir lorsque je ne suis pas en mission ?

Mac hocha la tête.

— Ça me semble raisonnable.

— Marché conclu.

Il soupçonnait le directeur d'avoir tout manigancé à l'avance. Grâce à cette manœuvre, il s'était à la fois assuré sa fidélité et la docilité de sa sœur.

— Lorsque tu auras achevé ta punition, Lauren, dit Mac avec un sourire plein de sous-entendus, je suis certain que Mr Large sera ravi de t'accueillir pour une deuxième session de programme d'entraînement.

.:.

Lauren dormit pelotonnée contre James. Ils s'éveillèrent de bonne heure. La petite fille, malgré la perspective d'affronter cinq mois cauchemardesques, semblait de bonne humeur.

— Tu as un agenda ?

— Regarde dans le tiroir du bureau, répondit James sans émerger de la couette.

Lauren consulta le carnet et compta le nombre de jours qui la séparaient de la fin de la prochaine session de programme d'entraînement initial. Puis elle prit une feuille de papier et y inscrivit avec application les nombres 1 à 174.

— Qu'est-ce que tu fabriques ? demanda James.

— C'est un compte à rebours. Au cours des cent soixante-quatorze jours à venir, je ne me plaindrai pas et je ne pleurerai pas. J'emmènerai cette feuille partout avec moi. Même dans les pires moments, je pourrai compter les heures qui me restent à souffrir avant de pouvoir rayer un nouveau jour. Lorsque je les aurai tous cochés, je serai un agent opérationnel, je le jure sur la tombe de maman.

James se glissa hors du lit.

— Retire ce que tu viens de dire, gronda-t-il. Tu ne peux pas être certaine de réussir. Et si tu te blesses ou tombes malade ?

— Ça n'arrivera pas, dit Lauren d'une voix glaciale. Si j'ai mal, je n'aurai qu'à fermer les yeux et à penser à ce bout de papier.

— Le conditionnement mental a ses limites, dit James en enfilant un pantalon de survêtement. Il faut que tu sois réaliste. Pas mal d'élèves ont dû passer le programme trois fois et plus. Crois-moi, tu risques d'être déçue.

Lauren se planta devant James.

— Fous-moi une baffe ! cria-t-elle.

— C'est ce que je vais faire, si tu continues tes conneries.

— Vas-y, frappe, aussi fort que tu peux ! Je vais te montrer que je peux encaisser.

— Laisse tomber, Lauren. Tu réalises qu'on aurait pu glander au lit une demi-heure de plus ?

Lauren saisit l'un des tétons de James et le tordit violemment. Ce dernier se jeta sur le lit en hurlant de douleur.

— Pourquoi tu as fait ça, bordel ?

— Fous-moi une baffe, je t'ai dit !

— Très bien. Tu l'auras voulu. J'espère que ça te remettra les idées en place.

La paume de James fouetta violemment le visage de Lauren. C'était plus douloureux qu'elle ne l'avait imaginé. Elle réprima un gémissement et encaissa le coup, un sourire crispé sur les lèvres.

— Cent soixante-quatorze jours, dit-elle. Tu peux me faire confiance.

— Tu viens prendre le petit déjeuner, ou tu es devenue si dure que tu peux te passer de nourriture ?

∴

Lorsque James et Lauren entrèrent dans le réfectoire archicomble, tous les agents présents interrompirent leurs conversations, posèrent leurs couverts, puis se levèrent les uns après les autres. Après quelques secondes de silence pesant éclata un concert de cris, de sifflets et d'applaudissements.

James se tourna vers Shakeel, qui se tenait tout près de lui.

— Qu'est-ce que c'est que ce bordel ?

— Ta sœur est devenue une héroïne. Chacun de

nous a rêvé de casser la gueule de Large. Elle nous a vengés.

Lauren fut littéralement engloutie par la foule des résidents. Les filles la couvraient de baisers, les garçons lui serraient la main à lui faire mal. Deux d'entre eux la soulevèrent du sol, la hissèrent sur leurs épaules puis la portèrent en triomphe dans tout le réfectoire. Malgré sa crainte de se fracasser le crâne contre les appliques du plafond, elle ressentait un immense bonheur. De nombreux agents se portèrent volontaires pour l'aider.

— L'aider à quoi ? demanda James.

— À nettoyer le fossé, expliqua Shakeel. On est au courant, pour la punition. Si une centaine d'agents lui donnent un coup de main samedi matin, sa corvée sera terminée dans la journée.

— Cool. C'est vachement sympa.

— Elle le mérite. J'aurais aimé avoir son courage, et je ne suis pas le seul. On fait circuler une cagnotte pour lui offrir une coupe gravée à son nom.

Lauren entamait son troisième tour d'honneur. Amy s'approcha de James.

— À mon étage, dit-elle, on a récolté soixante-dix livres. C'est quoi, sa marque de fringues préférée ?

— Gap Kids, pourquoi ?

— On a déjà plus de fric qu'on ne l'espérait. On va lui acheter quelques chèques cadeaux, et peut-être un énorme ours en peluche.

26. Tombeur

— T'as trop de bol, dit Kerry. Tu réalises qu'on va moisir ici jusqu'à la fin de la mission, Kyle et moi ?

James empilait des vêtements dans son sac, en prévision de son départ pour Miami, le lendemain matin.

— Le prends pas comme ça. On a tous un rôle important, dans l'équipe. Le mien, c'est d'aller me faire bronzer sur une plage de Floride. Le tien, c'est de passer tes vacances à Thornton. Avec un peu de chance, il arrivera peut-être des trucs distrayants. Je sais pas moi... un incendie ou une émeute.

— T'es un petit marrant, lança Kerry avec un sourire méprisant.

— À ton avis, je prends combien de paires de chaussettes ?

— Ben, une par jour, au moins.

James ouvrit le tiroir où il rangeait ses sous-vêtements et constata qu'il ne disposait que de deux paires propres. Il ramassa des chaussettes sales et les roula en boule deux par deux.

— C'est dégueulasse, protesta Kerry.

— C'est bon. Je ne les ai mises qu'une fois. Elles ne sentent pas trop mauvais.

Il colla l'une d'elles sous le nez de Kerry.

— Tu vois ?

— Nom de Dieu ! dit la jeune fille en repoussant brutalement son bras. T'es vraiment immonde.

James huma la chaussette à son tour.

— Pouah ! s'exclama-t-il. T'as raison. Elle est mûre, celle-là. J'ai dû la mettre pour aller au club de boxe, l'autre soir. Mais je t'assure, les autres sont correctes.

Kerry secoua la tête.

— Tu es un animal.

Sur ces mots, elle regagna sa chambre. Le portable de James sonna.

— Salut, April. Où tu es ?

— À l'aéroport, avec Erin et ma mère. On attend l'embarquement, alors je me suis dit que j'allais te faire un petit coucou.

— On s'est vus il y a deux heures.

— Tu ne veux pas me parler ? demanda-t-elle d'une voix pleine de rancœur.

— Bien sûr que si, mentit James. C'est juste que je suis en train de faire mes bagages.

— Tu sais, je porte ta montre Nike. Comme ça, je pense à toi à chaque fois que je regarde l'heure.

— Ne la perds pas, hein ? C'est ma préférée.

— Fais-moi un bisou.

James secoua la tête, colla sa bouche contre le micro

de son portable puis se força à émettre quelques bruits évocateurs.

— Faut que je te laisse. Zara m'appelle. Bon voyage. Salut.

— James…

— Je dois y aller, April. Désolé.

Il raccrocha, poussa un profond soupir puis réalisa que Kerry se trouvait de nouveau à ses côtés. Elle lui tendit quatre paires de chaussettes de sport propres.

— Problèmes de couple ? demanda-t-elle.

— Ne m'en parle pas.

— Tiens, je te les prête. On fait pratiquement la même pointure. N'oublie pas de les laver avant de me les rendre.

— Merci. Tu sais quoi ? April me prend vraiment la tête.

— Pourquoi ? Moi, je la trouve super sympa.

— Je ne dis pas le contraire, mais je crois qu'elle s'emballe un peu. Elle me téléphone toutes les deux minutes. Elle me suit partout au collège et elle n'arrête pas de prendre ma main. Dès que je parle à quelqu'un d'autre, elle me chuchote des trucs à l'oreille.

— Elle est dingue de toi. Tu devrais être flatté.

— Elle va trop loin. Je parie qu'elle a déjà choisi sa robe de mariage et qu'elle est en train de réfléchir aux prénoms de nos enfants.

— T'es vraiment qu'un sale mec ! Pour toi, les nanas sont des accessoires juste bons pour frimer devant les potes…

— T'exagères. C'est seulement que je ne suis pas aussi enthousiaste qu'elle, tu comprends... Ce n'est pas ma faute si aucune fille ne me résiste.

— Dans tes rêves, répliqua Kerry en souriant. Alors, je suppose que tu vas plaquer April et lui briser le cœur, comme tu as fait avec Nicole.

— Nicole ? répéta James, stupéfait. Je l'ai juste embrassée une fois. Ça a dû durer deux secondes.

— Elle t'a demandé si elle te plaisait. Tu as dit oui, tu es sorti avec elle, et puis tu l'as laissée tomber.

— Je ne l'ai pas laissée tomber. Il s'est plus rien passé entre nous, c'est différent. Je ne comprends pas pourquoi tu en fais toute une histoire.

— Tu n'as pas eu la décence de lui dire en face. Tu t'es contenté de l'éviter pendant deux jours. Elle était super triste.

— Wow. Je me suis pas rendu compte, je te jure.

— Bon, je te crois.

— Écoute Kerry, je t'assure que je ne l'ai pas fait exprès. Moi aussi, j'ai des sentiments. Il y a même une personne à qui je tiens beaucoup.

— C'est Amy, pas vrai ? Tu pètes complètement les plombs quand elle est près de toi. Te fais pas d'illusions, mon vieux. Elle a dix-sept ans.

— Tu te goures complètement, répliqua sèchement James. Je sais que tous les garçons du campus craquent pour Amy, mais ce n'est pas d'elle que je parle.

— C'est qui alors ?

— Ça te regarde pas.

— Arrête ton char. Je sais que c'est elle.
— Non.
— Je la connais ?
— Oui.
— Me dis pas que c'est Gabrielle !
James éclata de rire.
— Non.
— T'es un gros nul. Je ne sais pas pourquoi je perds mon temps à discuter avec toi.
James adorait la façon dont elle se dressait sur la pointe des pieds lorsqu'elle était en colère.
— Tu veux vraiment savoir qui c'est ? dit-il.
— En fait, je m'en fiche, dit Kerry en croisant les bras.
— Très bien. Alors je ne te le dirai pas.
En réalité, James avait piqué la curiosité de son amie. Elle changea rapidement de stratégie.
— Oh, allez, dis-moi...
James hésita entre désigner une autre de ses camarades ou lancer une blague idiote, puis il réalisa que l'opportunité d'avouer ses sentiments à Kerry se présentait enfin. Il ne pouvait pas taire ce secret pour le reste de sa vie.
Il prit une profonde inspiration.
— Je...
Il avait la bouche sèche et l'impression que son crâne allait exploser.
Kerry secoua la tête.
— Tu racontes n'importe quoi. Je le savais.

— Non. La vérité, c'est que c'est *toi* qui me plais.

Il fixa Kerry droit dans les yeux pendant deux secondes. Deux ans. Deux milliards d'années. Il y chercha vainement une réaction.

— Tu te fous de moi ? demanda la jeune fille.

— Non, tu me plais depuis longtemps, balbutia James. Depuis le programme d'entraînement, en fait. Même quand tu étais couverte de boue, même quand tu me flanquais des raclées, il y avait quelque chose en toi qui me branchait tellement. Je veux dire… Je trouve qu'on va bien ensemble. Tu es un peu coincée sur les bords, tu respectes les règles et tout ça, et moi, je suis une espèce de… une espèce de crétin, des fois.

— Je te plais vraiment ? dit Kerry en souriant.

James se sentait si mal à l'aise qu'il aurait voulu être foudroyé sur place.

— Oui, tu me plais vraiment.

— Je te préviens que si tu te moques de moi, je serai obligée de te casser les dents.

— Je parle sérieusement. Alors, je perds mon temps ou quoi ?

— Tous les gens du campus disent qu'il y a un truc entre nous. Moi, j'ai toujours pensé que tu n'en avais rien à foutre de moi. Tu n'arrêtes pas de délirer sur les gros seins, et je suis une vraie planche à pain.

— Je m'en moque complètement. Moi non plus je ne suis pas parfait. T'as vu mon bide ? Alors, tu m'aimes bien aussi ?

Kerry hocha la tête.

— Quand tu ne fais pas tout pour me mettre en colère, tu es celui que je préfère.

James contourna maladroitement le sac posé à ses pieds, puis l'embrassa timidement. C'était juste un petit smack de rien du tout, mais il éprouva une prodigieuse bouffée de chaleur et sentit son cœur s'emballer.

— J'aimerais tant que tu viennes à Miami avec moi, bégaya-t-il.

— Tu ne pars qu'une semaine. Et puis, tu dois me promettre quelque chose, si tu veux vraiment qu'on sorte ensemble.

— Quoi ?

— À partir d'aujourd'hui, tu changeras de chaussettes et de caleçon tous les jours. Compris ?

27. Miami

L'avion de James et Junior se posa sur l'aéroport de Miami le samedi soir.

Keith Moore les avait précédés de deux jours, modifiant ses projets initiaux pour une raison inconnue. George, son garde du corps, vint chercher les garçons au guichet de l'immigration pour les conduire à la maison à bord d'une Range Rover.

Pendant tout le trajet, James garda le visage collé à la vitre, attentif aux petites différences qui lui prouvaient qu'il se trouvait dans un pays étranger : circulation à droite, feux de signalisation suspendus à des câbles au-dessus de la route, panneaux publicitaires affichant des prix en dollars, énormes camions à double remorque qui semblaient capables de rouler sur un véhicule de taille normale sans que le conducteur ressente la moindre secousse.

Le portail automatique de la villa s'ouvrit devant la voiture. Un bâtiment bleu pastel apparut, perdu dans une forêt de palmiers. Il comportait un étage, des balcons surplombant l'océan et des terrasses ornées de plantes tropicales et de cactus en fleurs.

— Ton père est *vraiment* plein aux as, lâcha James en descendant de la voiture.

Il secoua la tête, l'air incrédule.

— Viens, je vais te montrer la collection de bagnoles, dit Junior.

Il conduisit son camarade jusqu'à un garage indépendant aussi vaste qu'une caserne de pompiers. Derrière une rangée de Mercedes et de BMW, James distingua les contours de sept Porsche couvertes de bâches protectrices. Il souleva le coin de l'une d'elles.

— Celle-là a couru les vingt-quatre heures du Mans, dit Junior. Mon père l'a pilotée sur le circuit de Daytona. Il a atteint plus de trois cents à l'heure dans les lignes droites.

— La classe.

— C'est vrai, tu aimes ? fit une voix à l'entrée du garage.

Keith portait des sandales et une chemise hawaïenne déboutonnée.

— Ça fait une Porsche pour chaque jour de la semaine, sourit James.

— Je vous emmènerai faire un tour à South Beach demain soir. La nuit, les façades sont éclairées par des néons de toutes les couleurs, et il y a des tas de restos sympas. Qu'est-ce que tu aimerais faire pendant ces vacances, James ?

— On n'est pas trop loin d'Orlando, non ? Junior m'a dit qu'il ne fallait pas manquer les studios Universal.

— C'est à quelques centaines de kilomètres, mais ça ne me dérange pas de vous y conduire. On pourrait passer la nuit là-bas et visiter d'autres parcs d'attractions. J'ai quelques détails à régler pour mes affaires, mais ça ne devrait prendre qu'un jour ou deux. Il y a autre chose qui te ferait plaisir ?

James haussa les épaules.

— Non, ça ira. Junior et moi, on va aller à la plage, faire du shopping, des trucs comme ça.

— Tu as de l'argent ?

Il tira de la poche de son short un épais rouleau de billets.

— Non, je ne peux pas accepter. Vous m'avez déjà payé le billet d'avion.

Keith tendit trois cents dollars à chacun des garçons.

— Comme ça, tu pourras acheter quelque chose pour April au centre commercial. Elle t'adore, tu sais ?

— Ben merci, bredouilla James, un peu gêné. Je peux appeler Zara pour lui dire que je suis arrivé ?

— Bien sûr. Vu ce que me coûte cette maison, je ne m'inquiète pas trop pour la facture de téléphone.

James passa un bref coup de fil à Thornton, puis les deux garçons enfilèrent des maillots de bain, sautèrent de la terrasse à l'arrière de la maison, et coururent vers l'océan sur la plage de sable blanc. La fatigue du voyage s'évanouit aussitôt.

— Je suis tellement content que tu sois venu ! cria Junior en sautant dans les vagues. On va passer une semaine inoubliable !

⁂

James dormit dans l'une des chambres d'invités. Il disposait d'un lit à baldaquin et d'une salle de bains privée équipée d'une immense baignoire en marbre. Le lendemain matin, à son réveil, il enfila un short et un T-shirt, puis sortit sur le balcon qui donnait sur l'océan pour respirer l'air marin et contempler les centaines de yachts et de voiliers qui croisaient dans le soleil matinal. Le vieux jardinier latino qui arrosait les plantes du patio le salua d'un hochement de tête. James se demandait ce que serait sa vie. Posséderait-il une villa à dix millions de dollars sur une plage de Floride, ou finirait-il ses jours à s'occuper des fleurs d'un milliardaire pour un salaire dérisoire ?

Junior le rejoignit sur le balcon.

— Yo, lança-t-il. Qu'est-ce que tu fous ?

— Je réfléchissais.

— Quelle occupation stupide ! Tu vas t'user les neurones. Mon père nous attend en bas. On va prendre le petit déjeuner chez *IHOP*.

— Où ça ?

— C'est un resto spécialisé dans les pancakes et les french-toasts. Je vais m'en envoyer une tonne, avec de la crème et de la confiture de fraises. Comme papa et George ont une réunion d'affaires, ils vont nous déposer au centre commercial. Tu verras, il est à peu près vingt fois plus grand que celui de Luton. Il y a même un cinéma grand écran et un petit parc d'attractions avec des montagnes russes.

— Ça a l'air génial, dit James avec un large sourire.

⁖

James acheta un jean, un maillot de bain, quelques CD et un cadeau pour Kerry, puis ils s'offrirent une place de ciné. George vint les chercher à la fin de la séance. Ils furent de retour à la maison en fin d'après-midi.

— Comment s'est passée la réunion ? demanda James.

— Bien, sourit Keith. Très, très bien.

— Ça veut dire que je vais pouvoir reprendre les livraisons et me faire un peu d'argent ?

— Ça, je ne sais pas. Tout va être différent, désormais. On va se baigner, maintenant que le soleil tape un peu moins fort ?

— En fait, je voulais envoyer un e-mail à ma famille. Est-ce que je peux utiliser votre ordinateur ?

— Bien entendu, fais comme chez toi.

Keith, Junior et George se changèrent puis quittèrent la maison pour rejoindre la plage. Aussitôt, James monta dans sa chambre pour récupérer les deux clefs USB et le CD-ROM d'utilitaires qu'il avait dissimulés dans le double fond de son sac. Il revint s'asseoir à la table de la cuisine, alluma le portable de Keith et se connecta à Internet.

Il vérifia ses messages sur le compte Hotmail ouvert sous le nom de James Beckett. Il avait reçu trois e-mails d'April. James ouvrit l'un d'eux : *Tu me manques déjà, April, XXX.* Il était accompagné d'une pièce jointe, une image floue la représentant en compagnie d'Erin, vêtue d'une combinaison de ski. Il lui répondit sobrement *Tu me manques aussi*, puis rédigea un long message à Kerry, des réflexions un brin arrogantes sur la météo en Floride et la taille de la villa dans laquelle il séjournait.

Il se leva pour s'assurer que Keith, George et Junior se trouvaient loin de la maison, puis commença à examiner le contenu du disque dur.

Le dossier Documents rassemblait quelques centaines de fichiers. Les icônes comportaient un petit verrou, ce qui signifiait qu'ils étaient protégés. Il considéra qu'il était trop risqué d'essayer de les ouvrir alors que Keith pouvait interrompre sa baignade à tout moment.

Il inséra une clé dans le port USB. Elle n'était pas plus grande qu'un capuchon de stylo, mais elle pouvait contenir l'équivalent de six CD.

Un message apparut en bas de l'écran : *nouveau matériel USB détecté.* Il vérifia le poids du dossier Documents pour s'assurer qu'il pouvait le copier sur la clé. Le transfert dura deux interminables minutes. L'opération achevée, James éteignit l'ordinateur et regagna sa chambre. Il s'empara de son téléphone portable, le configura sur le réseau américain et parvint à établir la connexion. Il composa le numéro du bureau local de la DEA[3] qui lui avait été remis avant son départ.

— James, c'est toi ? demanda John Jones à l'autre bout du fil.

— Salut.

— Ça va, tu as fait bon voyage ?

— Pas trop mal. Et toi ?

— Le vol s'est bien passé, mais il fait une chaleur infernale, ici. Personnellement, je préfère les *fish and chips*[4] et les froides nuits d'hiver.

— Je ne peux pas te parler longtemps, mais j'ai jeté un œil à l'ordinateur de Keith.

— T'as trouvé des trucs intéressants ?

— Je ne suis pas sûr. Son disque n'est pas partitionné, mais tous ses documents sont cryptés. Je n'ai pas eu le temps d'aller plus loin. J'ai tout copié sur une clé USB pour que vous puissiez traiter les informations.

— Beau travail.

— Comment je fais pour te passer la clé ?

— On peut s'arranger pour organiser un ramassage de poubelles, ce soir. Il faut que tu la places dans un emballage vide.

James jeta un œil à la chambre.

— J'ai un paquet de Fingers que j'ai ramené du cinéma.

---

3. *Drug Enforcement Administration* : service de police fédéral américain chargé de lutter contre le trafic de drogue. (NdT)
4. Plat populaire en Angleterre, composé de poisson frit et de frites. (NdT)

— Parfait, dit John. Surtout, plie-le de façon à ce que la clé ne s'échappe pas, puis jette-le dans l'une des grandes poubelles, dans la rue. On enverra un camion pour les ramasser.

— Tu crois que vous pourrez casser les codes ?

— Tout dépend du logiciel de protection utilisé, mais je suis assez confiant. Autre chose ?

— Quand j'ai demandé à Keith si je pourrais reprendre les livraisons, il a dit : « Je ne sais pas. Tout va être différent, désormais. »

— Mmmh. J'ignore ce qu'il veut dire, mais ça cache sans doute quelque chose d'important.

— Bon, il faut que je te laisse. Ils vont se demander ce que je fabrique.

— Tu as fait du bon boulot, James. Continue comme ça, et fais attention à toi.

28. Onze millions de dollars

Le lendemain soir, après une longue journée de pêche au gros en compagnie de Junior, James prétexta une balade en solitaire sur la plage pour appeler John Jones et lui transmettre les informations glanées au fil des communications téléphoniques de Keith.

— Les faux éboueurs de la DEA ont récupéré ton paquet de Fingers, dit l'agent du MI5. Bonne nouvelle, nos informaticiens sont parvenus à lire tous les fichiers. Comme prévu, on a trouvé des numéros de compte et le détail de plusieurs transactions. Apparemment, un intermédiaire place tout le fric de Keith sur un compte anonyme à l'étranger, moyennant une commission de vingt-cinq pour cent. Ça ne nous permet pas de le faire arrêter, mais c'est une nouvelle pièce du puzzle.

•:•

Le lendemain, James, Junior et Keith se levèrent tôt

pour aller à Orlando, la capitale mondiale des parcs d'attractions, située à trois cent cinquante kilomètres de Miami. Les visiteurs n'étant pas très nombreux, ils purent profiter de toutes les attractions de *Islands of Adventure* sans passer des heures à faire la queue. James acheta des T-shirts pour Kyle et Kerry, un bavoir et un short pour Joshua, et Keith insista pour payer le tout avec sa carte Visa.

En fin d'après-midi, épuisés et assommés par le soleil de plomb, ils rentrèrent à l'hôtel pour prendre une douche et se reposer avant d'aller au restaurant. Ils dînèrent en plein air, sur les rives d'un lac artificiel agrémenté d'élégants jets d'eau. Keith commanda des tagliatelles. James et Junior choisirent des hamburgers de deux cent cinquante grammes et des frites. En attendant d'être servis, ils dégustèrent du pain aux noix trempé dans l'huile d'olive.

— Je crois que je peux enfin parler tranquillement, dit Keith. À moins que les flics nous aient suivis jusqu'ici. Si ça se trouve, ils sont planqués dans un buisson, de l'autre côté du lac, un micro à capteur parabolique braqué dans ma direction.

Au mépris du panneau NE PAS NOURRIR LES OISEAUX, James jeta une poignée de miettes à la surface de l'eau puis regarda les canards se les disputer.

— De quoi tu veux parler, papa ? demanda Junior.

— Oh. De tout, et de rien.

— Vous pensez que les flics vous écoutent tout le temps ? demanda James.

— Ils ont placé des micros partout. Dans la maison de Luton, dans la villa de Miami, dans mes voitures, dans mes bureaux. Même les services secrets s'occupent de mon cas.

— Le MI5 ? Vous croyez ?

— J'en suis certain. Ils sont après moi depuis que le scandale de corruption de l'opération Sniff a éclaté. Je ne sais plus à qui faire confiance. Selon une de mes sources, George livre des infos à la police. Je n'y crois pas trop, mais je n'ai aucune certitude. Il a une femme et deux enfants. Si les flics lui ont proposé l'immunité, qui sait s'il ne s'est pas laissé tenter ?

— Tu vas le faire descendre ? demanda Junior.

Keith éclata de rire.

— Si j'avais fait liquider tous ceux sur lesquels j'ai entendu des rumeurs, je serais le plus grand tueur en série de l'histoire. Ce sont les flics qui font courir ces bruits. Ils essaient de nous diviser. De notre côté, on balance des fausses accusations de corruption pour compromettre des policiers honnêtes.

— Tu as déjà donné l'ordre de faire tuer quelqu'un ? interrogea Junior.

— Quand j'ai un problème, je demande simplement à mes hommes de le régler. Je me fiche de savoir s'ils le chatouillent à mort ou s'ils le balancent du dixième étage.

— Cool, dit James en souriant.

— Vous connaissez le film *Thelma et Louise* ? La scène où les deux nanas en bagnole se font coincer par les flics au bord d'une falaise ? La police pense que j'en suis là, mais ils se foutent le doigt dans l'œil.

— Comment ça ? demanda Junior.

— Eh bien, moi, j'ai déjà sauté de la voiture. Ils pensent que je suis ici pour acheter de la marchandise, remettre GKM sur pied et reprendre mon business. J'avoue que j'ai tout fait pour qu'ils le croient. En fait, je suis à Miami pour mettre mes affaires en ordre. Je vais rester aux États-Unis pendant quelques mois, le temps que les choses se calment à Luton, puis je retournerai en Angleterre pour me reposer sur mes lauriers. Je suis assez riche pour vivre de mes rentes.

— Génial, papa ! J'ai tellement peur que tu ailles en prison.

— Que va devenir GKM ? demanda James.

— L'organisation va disparaître d'elle-même. Certains membres du gang iront en prison. Les autres prendront contact avec de nouveaux fournisseurs et mettront sur pied leur propre business. Dans un an ou deux, personne ne se souviendra de moi. L'un des nouveaux groupes prendra une position dominante. La police montera une nouvelle opération pour le démanteler. Et tout recommencera à zéro.

— Les flics ont quand même atteint leur but, non ?

— C'est de la communication. En réalité, à l'échelle du marché de la drogue, c'était un coup d'épée dans l'eau. Le budget de la police est dérisoire. Les dealers, eux, ont des milliards de livres à leur disposition. C'est un peu comme si un gosse de sixième s'attaquait tout seul à l'équipe de rugby des terminale. Les flics peuvent nous poser des problèmes temporaires, mais ils n'ont pas les moyens de mettre fin au trafic.

— Vous pensez que les flics vont vous laisser tranquille ? demanda James.

— Je paye mes impôts et je me ruine en pots-de-vin. Alors je croise les doigts.

La serveuse déposa les plats devant eux.

— Enfin, soupira Keith en plantant sa fourchette dans ses pâtes. Que toute cette histoire ne nous coupe pas l'appétit. On se fait un ciné, ce soir ?

.:.

James attendit que Junior s'endorme avant de sortir discrètement de la chambre d'hôtel. Il se glissa entre le distributeur de glaçons et le distributeur de Pepsi du couloir, puis composa le numéro de John Jones sur son portable.

— J'ai du nouveau, dit-il. Keith a doublé tout le monde. Il n'est pas venu en Floride pour renouveler son stock, mais juste pour se mettre au vert pendant quelques mois. Il va prendre sa retraite, John.

— Ça ne m'étonne pas. Ça confirme les dernières informations que nous avons découvertes dans les fichiers que tu nous as fait passer. Cependant, je crois qu'il ne te dit pas toute la vérité.

— Qu'est-ce qui te fait dire ça ?

— Nous avons retrouvé la trace d'une énorme transaction, sur l'un de ses comptes à Trinidad. Il vient d'acheter pour un demi-million de dollars de bons du Trésor américains. La banque a reçu l'instruction de les verser sur le compte d'Erin Moore le jour de son dix-huitième anniversaire. En cherchant mieux, nous avons découvert qu'il avait pris la même disposition en faveur de Junior, d'April, de Ringo et de son ex-femme. Il a racheté les hypothèques de ses deux maisons en Angleterre et vendu la villa de Miami pour un prix très inférieur à sa valeur réelle, comme s'il avait eu besoin de se procurer du cash très rapidement.

— Pourtant, Keith m'a dit qu'il comptait rester à Miami plusieurs mois.

— Il a menti. Le nouveau propriétaire prendra possession de la maison dans trois semaines. On n'a trouvé aucune trace des onze millions de dollars que la vente lui a rapportés.

— Tu penses que cet argent va lui permettre de renouveler son stock ?

— Non, je ne crois pas.

— Alors, qu'est-ce qu'il compte en faire ?

— Maintenant qu'il est certain que sa famille est à l'abri du besoin, il va sans doute monter à bord d'un yacht, un de ces soirs, et disparaître pour toujours. Il sent le filet se resserrer autour de lui. Ses informateurs au sein même de l'opération Sniff l'ont sans doute prévenu que nous étions sur le point de disposer des preuves nécessaires à son arrestation. Et il sait qu'il en prendrait pour longtemps.

— Où va-t-il se réfugier ?

— Avec onze millions de dollars, il a de quoi vivre tranquille en Amérique du Sud. Je miserais sur le Brésil. Rien de plus facile que de disparaître dans un pays de deux cents millions d'habitants. Il a largement de quoi acheter des nouveaux papiers à un fonctionnaire corrompu, et se payer une opération de chirurgie plastique.

— Et ses enfants ?

— Il leur a laissé une fortune. En plus, on peut lui faire confiance pour s'être assuré que cet argent ne peut pas être relié au trafic de stupéfiants.

— Mais il ne les reverra jamais.

— C'est vrai, mais pas moins que s'il était en prison. Keith se donne du mal pour avoir l'air de bonne humeur, mais c'est une façade. Ça n'a pas dû être facile de prendre cette décision.

— Qu'est-ce que vous comptez faire pour l'empêcher de s'enfuir ?

— Là, on a un gros problème. On a demandé aux Américains de le placer sous surveillance vingt-quatre heures sur vingt-quatre, mais ils n'ont détaché qu'un agent de la DEA. Nous avons proposé de payer les frais, mais ils sont déjà en sous-effectif. On essaye toujours de trouver un accord, mais rien ne pourra empêcher Keith Moore de mettre les voiles dans les prochains jours.

— Sauf moi, lâcha James.

— Souviens-toi que tu es en mission d'infiltration et que tu dois te comporter comme un garçon de ton âge.

Je te défends d'intervenir. Tout ce que tu peux faire, c'est m'appeler lorsqu'il sera sur le point de se tailler.

— C'est compris.

À ce moment, James entendit des pas dans le couloir. Il raccrocha aussitôt. Keith fit son apparition, vêtu d'un peignoir de l'hôtel, un seau à champagne entre les mains. James ne portait qu'un T-shirt et un caleçon, et n'avait aucun moyen de dissimuler son téléphone.

— Tu n'arrives pas à dormir ? demanda l'homme. Tu appelles qui, à cette heure ?

À CHERUB, James avait appris à se tenir prêt à fournir une excuse crédible pour se sortir de telles situations.

— J'ai passé un coup de fil à Zara. C'est le matin, là-bas, et Joshua se réveille toujours à l'aube.

— Bizarre. La plupart des mobiles anglais ne fonctionnent pas en Amérique. Ça doit être un tribande.

En vérité, l'appareil avait été modifié afin de pouvoir fonctionner sur tous les réseaux du monde.

— Ben j'en sais rien. Je l'ai allumé et ça marchait. Je suis sorti de la chambre pour ne pas réveiller Junior.

— Tu sais que la communication coûte dans les quatre livres la minute ?

— Ah bon ? fit James, l'air faussement étonné.

— Ewart va t'étrangler quand il recevra la facture.

Keith remplit son seau de glace et y déposa quatre canettes de Pepsi.

— Je sais pas si c'est d'avoir marché toute la journée au soleil, mais je suis complètement déshydraté. Tu en veux un ?

— Oui, merci.

Ils décapsulèrent leurs sodas et en avalèrent de longues gorgées.

— Je sais pas comment vous remercier de m'avoir offert ces vacances. Zara et Ewart n'auraient jamais eu les moyens.

— Allons, c'est rien du tout. Et puis ça m'a fait plaisir. Quand Ringo m'a appris qu'il ne voulait pas partir avec nous, j'ai tout de suite pensé à toi.

— Vraiment ? Et pourquoi ?

— Tu es le seul ami de Junior sur lequel je puisse compter en cas de coup dur.

— Qu'est-ce qu'il pourrait bien arriver ?

— Ils peuvent m'arrêter à tout moment, James. Junior joue les durs, mais c'est encore un bébé. Je suis heureux de savoir que tu seras là si ça arrive. Toi, tu sauras quoi faire.

— Mais il y a aussi votre garde du corps.

Keith s'esclaffa.

— Ce pauvre George n'est bon qu'à deux choses : assommer les emmerdeurs et nettoyer les voitures. Je le connais depuis la maternelle, et je l'aime beaucoup, mais pour être honnête, c'est un miracle qu'il arrive à faire ses lacets tout seul.

— En tout cas, j'espère que vous ne serez jamais arrêté.

— Qui sait ce qui arrivera ? La vie est pleine de surprises.

Là-dessus, il lâcha un rot tonitruant qui secoua littéralement les murs du couloir. James éclata de rire et répliqua par un petit coassement aigu.

— Pathétique, dit Keith. Écoute un peu ça.

Il bascula la tête en arrière, vida sa canette d'un trait, puis émit le plus long, le plus puissant et le plus sonore renvoi que James ait jamais entendu.

Une vieille Américaine avançait à petits pas dans le couloir. Elle portait d'immenses lunettes fumées rectangulaires. Son visage était incroyablement ridé, comme froissé par une trop longue exposition au soleil.

— Vous ne pouvez pas vous comporter correctement ? lança-t-elle, outrée.

— Excusez-le, madame, dit Keith. Je suis sûr qu'il ne recommencera pas.

— Eh, c'était pas moi, protesta James.

La femme fit quelques pas de plus puis s'immobilisa devant la porte de sa chambre.

— Cet hôtel reçoit une clientèle décente, ajouta-t-elle en fouillant dans son sac à main à la recherche de la carte magnétique qui faisait office de clé. C'est une honte de se comporter ainsi à votre âge.

Sur ces mots, elle battit en retraite dans sa chambre. James et Keith se tinrent les côtes pendant près de dix minutes.

— Allez, au lit ! dit l'homme. Il est plus de minuit, et on a un autre parc à visiter demain matin.

James regagna sa chambre, en faisant attention à ne pas réveiller Junior, puis se glissa sous la couette. Il était épuisé, mais son cerveau continuait à tourner à plein régime.

Il se demandait si Keith s'apprêtait réellement à quitter le pays. Il se sentait un peu triste pour cet homme qui lui avait offert les plus belles vacances de sa vie. Il imaginait les souffrances qu'il devait endurer : devait-il prendre le risque de passer vingt ans derrière les barreaux ou fuir, au risque de ne plus jamais revoir sa famille ?

Il s'interrogeait sur sa propre attitude, le moment venu. Appellerait-il John Jones sur-le-champ ou laisserait-il à Keith le temps de s'échapper ?

⁂

Ils se levèrent tôt le matin pour visiter Disney World, puis ils passèrent l'après-midi à se reposer dans un parc à thème aquatique. Ils quittèrent Orlando à la tombée de la nuit. Ils avaient cinq heures de route devant eux.

James s'éveilla, le jeudi matin, sur le lit à baldaquin de la villa de Miami. Il portait toujours ses baskets et ses vêtements de la veille. Il avait le vague souvenir de s'être endormi sur la banquette arrière. Avant même de prendre une douche et de se brosser les dents, il descendit au rez-de-chaussée pour s'assurer que Keith Moore n'avait pas pris la fuite pendant la nuit.

L'homme était assis à la table de la cuisine en compagnie de George et Junior. La télévision diffusait un talk-show matinal.

— Tiens, la belle au bois dormant ! s'exclama-t-il.

Junior lâcha un rire idiot.

— Ben quoi ? demanda James.

— On a tout fait pour te réveiller, expliqua Keith, mais impossible. George a dû te porter jusqu'à ta chambre.

— T'avais l'air d'un vrai petit ange, gloussa Junior.

— Je ne me rappelle de rien. Bon sang, c'est tellement embarrassant...

— Tu manques de sommeil, dit Keith. Ça doit être tous ces appels téléphoniques au milieu de la nuit.

James réalisa soudain qu'il n'avait pas appelé John Jones. Ce dernier devait être mort d'inquiétude.

— Il faut que j'aille aux toilettes.

Il regagna sa chambre et constata que la batterie de son téléphone était à plat. Il brancha son chargeur et son adaptateur secteur US, puis composa le numéro de son contact du MI5.

— Tiens, la marmotte s'est enfin réveillée, lâcha John Jones. Tu t'es bien reposé ?

— Comment tu sais ce qui s'est passé ?

— À une heure du matin, comme je n'avais pas de nouvelles, j'ai commencé à me faire du souci. On a tracé le signal de ton portable et réalisé que tu étais en route pour Miami. Et puis, tout à coup, tu as cessé d'émettre.

— La batterie était à plat. J'avais oublié de prendre mon chargeur.

— Une erreur de débutant, fit observer John d'un ton réprobateur. Il m'arrive d'oublier que tu n'as que treize ans.

James laissa échapper un petit rire nerveux. Il était soulagé de s'en tirer à si bon compte.

— Vous êtes plus cools que les contrôleurs de CHERUB, au MI5.

— Bref, j'ai estimé qu'il valait mieux vérifier qu'il ne t'était rien arrivé. Je me suis planqué dans les buissons, devant la villa de Keith, et j'ai vu George te sortir de la voiture. Tu avais l'air d'un gosse de six ans, je te jure, recroquevillé dans ses gros bras musclés.

— Je ne suis pas sûr de pouvoir survivre à cette humiliation. Cela dit, à part ça, la situation n'a pas bougé, ici. Et de ton côté, quoi de neuf ?

— Les Américains n'ont toujours pas réussi à nous trouver du personnel pour assurer la surveillance. Les preuves que nous avons rassemblées suffisent à faire tomber Keith pour évasion fiscale et blanchiment d'argent, mais il ne passera que deux à cinq ans en prison. Comme on n'a pas d'alternative, on a décidé de passer à l'action.

— Alors, il va être extradé en Angleterre ?

— Exact. La police du Bedfordshire va contacter la DEA dans la journée pour lui demander de procéder à l'arrestation et le renvoyer au pays. Nous devons présenter notre dossier à un juge pour obtenir un mandat d'arrêt. Ça prendra un jour pour rassembler tous les documents et obtenir une audience.

— Espérons que Keith ne mettra pas les voiles d'ici là.

— On croise les doigts. Une dernière chose. J'ai eu un message de Zara : Mac a décidé de mettre fin à la mission de l'équipe de CHERUB, que l'opération réussisse ou non. Tu peux annoncer à Keith et à Junior qu'Ewart a trouvé du boulot à Londres, et que vous allez déménager.

29. Clair de lune

Ce soir-là, James passa son temps à regarder des films gore dans la suite de Junior. Vers minuit, il se leva du sofa pour regagner sa chambre.

— Tu veux pas rester dormir ici ? demanda son camarade.

— Eh, mais on dirait que tu as peur de rester tout seul ? Tu t'imagines sans doute que le cinglé à la hache va entrer par la fenêtre.

— Non, c'est juste que j'ai pas sommeil, assura Junior, soucieux de ne pas passer pour une mauviette. T'as pas envie de discuter ?

James alla chercher sa couette et ses oreillers pendant que Junior dépliait le canapé. Ils éteignirent la lumière et parlèrent de tout et de rien dans l'obscurité. *C'est quoi, ta voiture préférée ? Dans quel pays tu aimerais vivre plus tard ?*

— Tu embrasserais les fesses d'un chien pour un million de livres ? demanda Junior.

James réfléchit quelques secondes.

— Oui.

Junior se tordit de rire.

— T'es vraiment un porc.

— C'est facile à dire, pour toi. Ton père est milliardaire. Moi, avec un million de livres, je pourrais m'acheter une chouette baraque et une bagnole de luxe.

— Et si tu devais le faire à la télé, devant toute l'Angleterre ?

— Ça change rien.

— Et pour dix mille livres, tu accepterais ?

— Ah là, pas question.

— Alors combien ?

— Je sais pas, moi. Cinq cent mille, peut-être.

La porte s'entrouvrit. La lumière du couloir s'engouffra dans la chambre.

— Soyez raisonnables, les garçons, dit Keith. Il est une heure. Vous allez être crevés, demain matin.

— OK, papa, répondit docilement Junior.

— Je ne veux plus vous entendre, lança l'homme avant de s'éloigner.

Les garçons restèrent silencieux de longues minutes, s'assurant que Keith avait regagné sa chambre.

Junior semblait mélancolique.

— Si tu retournes à Londres, chuchota-t-il, je ne vous reverrai sans doute jamais, Nicole et toi.

— Tu me manqueras, toi aussi. Tu es l'un des meilleurs amis que j'aie jamais eus.

— On pourrait se rendre visite pendant les vacances ?

— Peut-être, dit James, même s'il savait que c'était impossible. Luton n'est qu'à une demi-heure de train de Londres. Au fait…

— Quoi ?

— Tu te rends compte qu'on n'a même pas eu le temps de combattre l'un contre l'autre ?

— Et si on le faisait maintenant ?

— On va se faire engueuler par ton père.

— On n'a qu'à aller sur la plage. À cette heure-ci, on ne pourra pas nous voir de la maison.

— C'est d'accord, dit James en se levant du canapé. Mais tu ne viendras pas te plaindre quand je t'aurai mis le nez en compote.

Junior éclata de rire.

— Je te trouve un peu grande gueule, pour un type qui n'a jamais participé à un véritable combat.

Les deux garçons enfilèrent un short et des baskets, puis ils descendirent l'escalier à pas feutrés jusqu'à la salle de gym de la villa. James s'empara de deux paires de gants de boxe. Leur petite taille lui parut surprenante.

— C'est du matériel de pro, chuchota Junior. Ils sont beaucoup plus durs que les gants amateurs. Crois-moi, tu vas comprendre ta douleur.

— Il n'y a pas de casques ?

— On va se battre comme des hommes. Gants pros, pas de casque, pas de protège-dents. Tu commences à avoir la trouille, pas vrai ?

James s'inquiétait surtout de la réaction des autorités de CHERUB s'il retournait au campus avec une vilaine blessure récoltée au cours d'un combat inutile. Mais sa fierté lui interdisait de reculer.

Ils furent accueillis dans le salon par un ronflement prodigieux. Ils tressaillirent, mais trouvèrent George endormi sur le canapé, devant la télé allumée. Junior fit coulisser lentement la baie vitrée, puis ils se glissèrent sur la terrasse de bois qui donnait sur la plage.

La marée était basse, et la lune étincelait sur le sable humide. À l'aide d'un bâton, Junior traça les contours d'un ring, puis il régla sa montre pour un compte à rebours de trois minutes.

— Trois rounds, dit Junior. Le premier qui va au tapis trois fois a perdu.

James enfila nerveusement ses gants.

Les deux garçons se placèrent à deux coins opposés du ring. Lorsque la montre de Junior émit un signal, ils avancèrent l'un vers l'autre. James reçut un premier direct qui faillit lui faire perdre l'équilibre. Les gants étaient durs comme du bois. Le souffle coupé, il fit deux pas en arrière. Junior porta une nouvelle attaque, quelques centimètres au-dessous de l'élastique du short. James se plia en deux. Il reçut un autre coup à la tempe puis s'écroula sur le sable humide.

— Coup bas, souffla-t-il, les mains plaquées sur son ventre.

Le combat n'avait duré que quelques secondes, mais la chaleur était telle que les deux combattants ruisselaient déjà de sueur.

— C'était un coup régulier, dit Junior. Ce knock-down est valable.

James se redressa maladroitement. Il n'éprouvait pas l'excitation sauvage qu'il était habitué à ressentir lorsqu'il boxait. Son adversaire était rapide et puissant. Il avait le désagréable pressentiment d'avoir eu les yeux plus gros que le ventre.

— Ah ! c'est comme ça ? s'exclama-t-il, en proie à une bouffée de colère. Tu veux qu'on laisse tomber les règles ? Très bien, ça me va !

Sur ces mots, sans attendre le signal du début du round, il lui décocha un direct en pleine face, suivi d'un uppercut foudroyant au menton.

— Stop ! hurla Junior avant de gémir de douleur, les gants plaqués sur son visage. Espèce de connard.

— Ben quoi ?

— Tu m'as foutu du sable plein les yeux.

Junior retira ses gants et commença à se masser les paupières.

— Désolé, dit James. Je pouvais pas savoir. Ça va ?

Son camarade lui adressa un sourire gêné, sans cesser de cligner des yeux.

— C'est ma faute. C'est moi qui ai eu cette idée stupide.

— Alors, on en reste là ?

— D'accord. Match nul.

— Au moins, maintenant, on saura pourquoi il n'existe pas de fédération de beach-boxing.

— Si on prenait un bain de minuit ? proposa Junior.

Au même instant, James entendit un claquement sec suivi d'un choc sourd provenant de la villa.

— Qu'est-ce que c'était ? demanda-t-il.

— George a encore dû tomber du canapé.

— À moins qu'ils aient relâché le psychopathe à la hache de tout à l'heure.

Ils se jetèrent à l'eau puis s'amusèrent à sauter par-dessus les vagues.

— Ça ne te file jamais des cauchemars, toi, ces films d'horreur ? demanda Junior.

— Ça m'est déjà arrivé. Tu as vu *Seven* ?

— Ouais, j'adore. Ça fout trop les jetons.

— J'ai fait une scène pas possible à ma mère pour qu'elle me laisse le voir. Je me suis réveillé complètement paniqué, et j'ai été obligé de passer le reste de la nuit dans son lit. Quand ma sœur Lauren a appris ça, elle s'est foutue de ma gueule pendant une semaine.

— Ta sœur ? demanda Junior, stupéfait.

— Je veux dire ma cousine, rectifia James. C'était pendant l'été, et Lauren passait les vacances chez nous.

— Ringo se moquait tout le temps de moi quand j'étais petit. Un jour, il a remplacé ma cassette de *Pingu* par celle de *Terminator*. J'étais mort de trouille.

— Faut qu'on aille se coucher, dit James en rejoignant le rivage. J'ai envie d'être en forme pour cette balade en bateau à hélice dans les Everglades.

Il ramassa ses gants puis glissa ses pieds mouillés dans ses baskets.

— Les autres années, on ne faisait pas autant de trucs intéressants, dit Junior. Je ne sais pas pourquoi, mais je crois que mon père t'adore.

James savait que Keith Moore profitait de chaque moment passé en compagnie de son fils.

Tandis qu'ils marchaient vers la maison, Junior se retourna plusieurs fois pour contempler l'océan.

— Si on tient compte du décalage horaire, lança-t-il, dans trois jours à cette heure-ci, on sera au collège de Grey Park.

— T'as le chic pour plomber l'ambiance, des fois. Comment va ton œil ?

— Ça pique un peu. Minable, ce combat, si tu veux mon avis.

James fut le premier à se hisser sur la terrasse de bois. Il entrouvrit la baie vitrée, et son pied glissa sur une flaque poisseuse. Il posa la main sur le mur pour conserver l'équilibre. Il y avait de la lumière dans la cuisine. George était étendu sur le sol, au pied du canapé.

— Il y a quelque chose qui cloche, chuchota-t-il.

— Le tueur à la hache ? plaisanta Junior, qui se tenait encore à l'extérieur de la villa.

— Je ne plaisante pas.

Il souleva un pied et découvrit avec horreur que la semelle de sa basket était maculée de sang.

— Arrête ton char, tu ne me fais pas peur, dit Junior.

Il pénétra à son tour dans le salon et vit George allongé sur le carrelage.

— Eh, j'avais raison, gloussa-t-il.

James s'accroupit près du canapé pour allumer une lampe à abat-jour. Alors Junior vit l'immense mare de sang où gisait le garde du corps et poussa un hurlement de terreur.

30. À bout portant

Depuis plus d'un an, James était resté hanté par le contact glacé de la main de sa mère, la nuit où il l'avait trouvée sans vie devant la télé du salon.

La vue du corps de George ne l'affectait pas à ce point, mais le spectacle qui s'offrait à ses yeux était difficilement soutenable. Le sang s'échappait d'une blessure par balle sous sa chemise, puis coulait le long des joints du carrelage pour former une mare rouge sombre près de la baie vitrée.

James avait l'impression que la scène se déroulait au ralenti. Le cri de Junior semblait ne jamais devoir cesser. Des jets de salive jaillissaient de sa bouche.

James pensait que George avait payé le prix de sa trahison envers GKM, et que Keith avait mis ses projets d'évasion à exécution. Il traversa la pièce, s'engagea prudemment dans le couloir et jeta un œil par la porte de la cuisine entrebâillée. Sa théorie vola en éclats : Keith, le visage couvert de contusions, était assis sur un tabouret. Trois hommes armés l'entouraient.

— Ne faites pas de mal aux garçons ! cria-t-il pour couvrir les hurlements incontrôlables de son fils. Je vous dirai tout.

James savait qu'il disposait de peu de temps avant que les tueurs ne se lancent à leur poursuite. Il regagna le salon. Son camarade, en état de choc, était resté figé devant la baie vitrée, incapable de détacher son regard du cadavre de George.

— Cours, lui dit-il. Va chercher de l'aide.

Junior sortit brutalement de sa torpeur, bondit de la terrasse et s'éloigna à toutes jambes dans l'obscurité. James espérait qu'il aurait la présence d'esprit d'aller frapper à l'une des villas voisines afin d'alerter la police.

Il s'apprêtait à prendre la fuite à son tour lorsqu'un tueur jaillit de la cuisine. James pouvait voir ses tatouages transparaître sous sa veste trempée de sueur.

— Viens par ici, mon garçon, lança l'homme avec un fort accent hispanique.

James se précipita dans la pièce la plus proche, la salle de musique où Keith conservait sa chaîne hi-fi et sa collection de vinyles.

— Eh ! hurla le tueur. Tu veux jouer avec moi ?

James ignorait les motivations du criminel lancé à ses trousses, mais il était terrorisé à l'idée de subir le même sort que George. Il claqua la porte et tira le verrou. La pièce ne comportait qu'une lucarne haut perchée. Il n'avait pas le temps de s'y hisser.

Il poussa un fauteuil contre la portc. Lc tueur tournait frénétiquement la poignée de l'extérieur. James avait désespérément besoin d'une arme.

— Ouvre, ou je te bute ! cria l'homme en donnant de violents coups d'épaule.

James se tourna vers l'étagère et s'empara du premier disque qui lui tomba sous la main, une édition collector de Led Zeppelin IV. Au cours de sa formation à CHERUB, il avait appris qu'un morceau de plastique rigide pouvait se transformer en une arme redoutable. Il posa la pochette contre la plinthe d'un mur et l'écrasa d'un coup de talon.

Trois balles de gros calibre tirées de l'extérieur eurent raison du verrou. James glissa la main à l'intérieur de la pochette et en sortit un long fragment de plastique triangulaire.

Il se colla dos au mur, serrant fermement son poignard improvisé, et attendit que l'ennemi pénètre dans la pièce. Son cœur battait à tout rompre. S'il manquait son coup, il serait sans doute abattu comme un chien, d'une balle dans la tête.

Le tueur ouvrit la porte d'un coup d'épaule, écarta le fauteuil puis fit un pas en avant. Aussitôt, James saisit le canon du revolver de sa main libre et plongea le fragment de plastique dans le poignet de son agresseur. Ce dernier poussa un hurlement bestial. James le désarma et alla trouver refuge à l'autre extrémité de la pièce. Il s'adossa au mur, mit l'homme en joue, un doigt posé sur la détente.

Le tucur se débarrassa de l'objet planté dans son bras puis se tourna vers James.

— Ce flingue est un peu gros pour toi, mon garçon, dit-il calmement, en dévoilant des dents jaunâtres. Allez, sois raisonnable, rends-le-moi.

Un bruit de lutte se fit entendre dans la cuisine. Keith Moore poussa un cri de douleur.

— À genoux, les mains sur la tête, bégaya James.

L'homme s'avança vers lui comme si de rien n'était. Le garçon passa en revue les procédures relatives à l'utilisation des armes à feu : en cas de confrontation avec une cible hostile, il était recommandé de viser les organes non vitaux ; cependant, en cas de danger de mort immédiat, les agents de CHERUB étaient autorisés à assurer leur tir, c'est-à-dire à faire feu en pleine poitrine, la partie la plus large du corps humain.

— Ne me forcez pas à faire ça, dit-il, au bord des larmes.

Le revolver pesait une tonne entre ses mains tremblantes. L'homme ignora sa menace et continua à marcher lentement dans sa direction. James n'avait pas d'alternative. Il bloqua sa respiration pour stabiliser son arme. Il ne pouvait pas se permettre de lui laisser faire un pas de plus sans mettre sa vie en jeu.

— Tu ne vas tuer personne, mon garçon, ricana le tueur en se penchant imperceptiblement en avant.

Une détonation assourdissante retentit. La balle frappa l'homme en pleine poitrine. Il fut soulevé de terre et retomba sur le dos, au pied du fauteuil renversé. James fut saisi d'une irrépressible nausée. Il enjamba le corps sanglant de sa victime et se rua dans le salon, dans l'intention de prendre la fuite par la plage.

Il jeta un œil à l'extérieur et aperçut des silhouettes dans l'obscurité. Junior, la tête basse, marchait vers la villa sous la menace d'un autre tueur armé. James courut vers le couloir, priant pour que ce dernier ne l'ait pas aperçu. Il n'avait plus une seconde à perdre. L'homme qui gardait Keith avait forcément entendu le coup de feu.

Il ne pouvait pas atteindre la porte principale sans passer devant la cuisine. Il n'avait plus d'alternative. Le revolver en main, il gravit les marches menant à l'étage, pénétra dans sa chambre et composa le numéro de John Jones sur son portable.

— Allô ? fit une voix féminine.

— John Jones est là ?

— Il est aux toilettes. Je m'appelle Beverly Shapiro. Tu es James Beckett ?

— Oui. Il faut que je lui parle de toute urgence.

— Je suis l'agent de la DEA qui travaille avec John. Tu peux me parler en toute confiance.

James poussa un soupir de soulagement.

— Dieu soit loué. Je suis à la villa. Il y a plein de tueurs au rez-de-chaussée. Ils sont en train de cuisiner Keith. Je ne sais pas ce qu'ils ont en tête.

— Je vais appeler la police locale, dit Beverly. Tu as un moyen de t'enfuir ?

— Ils ont rattrapé Junior sur la plage. Je pense qu'ils ont des hommes postés à l'extérieur.

— Trouve-toi une cachette en attendant l'arrivée de la police. Je te garde en ligne.

James réfléchit à cent à l'heure. Les gangsters allaient fouiller la maison de fond en comble, et il ne leur faudrait pas plus de quelques minutes pour le retrouver. Il envisagea de se poster en haut de l'escalier principal et d'arroser tout ce qui bougeait, mais il existait trois autres accès à l'étage. Quatre en comptant la passerelle du garage.

Le garage.

C'était sa seule chance de fuir la villa. Il regagna prudemment le couloir.

— La police est en route, dit Beverly. Tu as trouvé une cachette ?

— Je ne suis pas en sécurité dans cette baraque.

— Je t'ai dit de te cacher, dit la femme d'un ton autoritaire. Garde ton calme et attends l'arrivée des renforts.

— Désolé, mais il est hors de question que je reste ici.

Il glissa le téléphone dans l'élastique de son short et courut jusqu'à la chambre de Keith. Il examina le contenu des poches du pantalon jeté sur le lit et y trouva les clés du 4 x 4 Range Rover.

De retour dans le couloir, il entendit des bruits de pas provenant des marches. Il tira deux fois dans cette direction, dans l'espoir que ses poursuivants se tiendraient à carreau pendant quelques minutes, puis il poussa une porte et dévala l'escalier en spirale qui menait au parking.

Il s'installa aux commandes du Range Rover, introduisit la clé de contact et fit tourner le moteur. Il boucla sa ceinture de sécurité puis actionna la télécommande qui contrôlait la porte du garage et les grilles de la propriété.

Les nerfs à vif, il n'attendit pas que la voie soit libre pour écraser la pédale d'accélérateur. La voiture bondit en avant et pulvérisa les vantaux de bois. Il pila net à quelques centimètres d'un mur de briques puis braqua le volant à droite pour s'engager dans l'allée menant au portail.

Il constata avec effroi que les grilles étaient restées fermées. Les tueurs avaient neutralisé le système d'ouverture automatique avant d'entrer clandestinement dans la villa. Deux véhicules étaient garés de l'autre côté, en prévision d'une retraite éclair.

Alors, une balle tirée depuis le rez-de-chaussée transperça le toit du 4 x 4 puis acheva sa trajectoire dans le fauteuil du passager avant. James effectua une marche arrière avant de diriger son véhicule vers la terrasse plantée d'arbres tropicaux. Il espérait que le moteur serait assez puissant pour traverser cette petite jungle d'une dizaine de mètres de profondeur et atteindre la plage, à l'arrière de la villa.

Il lança la voiture sur la pente abrupte. Elle oscilla de gauche à droite, déracinant au passage quelques buissons et un arbuste. Le bas de caisse toucha des fragments de pierre et de bois. Le pare-chocs rencontra le tronc d'un petit palmier. La Range Rover s'arrêta brutalement.

Une seconde balle pulvérisa la lunette arrière. James effectua une manœuvre pour se dégager. Il sentit les roues patiner dans le sol meuble. Il enfonça la pédale d'accélérateur jusqu'au plancher. Le tronc céda brutalement et le 4 x 4 bondit en avant, atteignant sans peine le sol carrelé d'un patio.

James contourna un barbecue de briques, renversa le mobilier de jardin, puis s'engagea dans la pente semée de buissons et de parterres de fleurs. La voiture prit de la vitesse. Parvenu en bas du monticule, il évita in extremis le bassin des poissons et fonça droit vers la clôture qui délimitait la propriété.

Le véhicule traversa le grillage, puis accomplit un long vol plané avant de retomber sur la plage, un mètre plus bas. Lorsqu'il se fut stabilisé, James enfonça l'accélérateur. Il constata qu'il emportait dans son sillage une longue traîne de grillage et de fil de fer barbelé. Il s'en débarrassa par quelques coups de volant à gauche et à droite.

Tout sembla soudain étrangement calme. La plage défilait régulièrement dans le faisceau des phares. On n'entendait que le ronronnement du moteur et la soufflerie de l'air conditionné. James jeta un œil au rétroviseur. Il n'était pas suivi. Il sortit son portable de l'élastique de son short.

— Bcvcrly, vous êtes toujours là ?

— Bon sang, qu'est-ce que c'était que ce bordel ? demanda John Jones, visiblement bouleversé. J'ai entendu des coups de feu. Qu'est-ce qui s'est passé ?

— Moi, ça va, mais je crois que j'ai tué un de ces salauds. Ils ont Junior. Je suis dans la Range Rover de Keith, sur la plage. Je vais rejoindre la route dès que possible.

— OK. Tu es sûr qu'ils ne t'ont pas pris en chasse ?

— Je ne sais pas. Je crois que je les ai eus par surprise.

— Est-ce que tu pourras retrouver le trajet du IHOP ?

— Bien sûr. Je ne suis qu'à deux kilomètres.

— On se retrouve là-bas dans un quart d'heure. Beverly sera avec moi. Elle n'est pas au courant, pour CHERUB. Elle pense que tu es un simple informateur, alors fais attention à ce que tu dis.

— C'est compris.

— Conduis prudemment, James. Pour l'amour du ciel, ne te fais pas arrêter par les flics.

∴

Le restaurant était fermé. Ils trouvèrent refuge dans un McDonald's ouvert vingt-quatre heures sur vingt-quatre, de l'autre côté de la rue. Beverly commanda des *apple-pies* et des cafés au comptoir. James s'assit en face de John, puis il considéra ses baskets pleines de sang.

— Et encore une paire à cent quatre-vingt-dix-neuf livres foutue en l'air, soupira-t-il. Je crois que je suis maudit.

John Jones esquissa un sourire.

— C'est un signe divin, James. Une façon de te faire comprendre qu'aucune paire de pompes ne devrait atteindre un tel prix.

Beverly posa le plateau sur la table et prit place près de James sur le banc de plastique. Petite, âgée d'environ vingt-cinq ans, avec de longs cheveux auburn et un visage constellé de taches de rousseur, elle avait l'air d'une minette parfaitement inoffensive, pas d'un dur à cuire de la DEA.

— La police locale m'a informée que les tueurs avaient pris la fuite après ton évasion, dit-elle. Leurs voitures ont été interceptées et il y a eu une fusillade. Keith Moore se trouvait avec eux. Il a reçu une balle dans l'épaule. C'est un peu tôt pour se prononcer, mais les médecins pensent qu'il va s'en sortir.

— Et Junior ? demanda James.

— Il a été sévèrement battu. Les policiers l'ont conduit à l'hôpital, mais c'est tout ce que je sais.

— J'espère qu'il va bien.

Il avala une gorgée de café, l'air anxieux.

— Alors, qui étaient ces types ? demanda-t-il.

— Des membres du cartel de Lambayeke, dit John. Je suis prêt à parier qu'ils recherchaient les numéros de compte secrets de Keith.

— Je croyais qu'ils étaient associés.

— Ils faisaient du business ensemble depuis vingt ans, mais ne t'imagine pas qu'ils passaient leurs vacances ensemble. Tant que Keith leur achetait de la drogue et leur faisait gagner du fric, tout se passait bien. Quand GKM s'est écroulé, ils ont perdu leur poule aux œufs d'or. Et comme il était seul et affaibli…

— … ils ont décidé de le dépouiller.

— Exactement. Ils étaient bien placés pour savoir que Keith Moore avait un paquet de fric placé sur des comptes anonymes. Ils ont envoyé des gros bras pour le cuisiner.

— Keith n'avait aucun recours, précisa Beverly. Il ne pouvait tout de même pas se pointer au poste de police pour porter plainte…

— Le casse du siècle, dit John. Le problème, c'est que ces brutes ont oublié de fouiller la villa avant leur petite séance de torture. Je pense qu'ils n'auraient pas procédé de la même façon s'ils avaient su que Junior et toi dormiez à l'étage.

— En fait, on n'était pas là. On prenait un bain de minuit.

James jugeait préférable de ne pas mentionner ce stupide combat de boxe.

— Vous avez eu beaucoup de chance. Sans cette escapade, vous vous seriez réveillés avec un flingue braqué sur la tête.

31. Bijoux de famille

James dormit quelques heures dans le bureau de Beverly Shapiro, au quartier général de la DEA de Miami. La jeune femme le réveilla à dix heures.

— Je t'ai rapporté des vêtements propres et des baskets de la villa, dit la jeune femme. Il y a des douches, au rez-de-chaussée. Nous allons interroger Keith Moore dans une quarantaine de minutes. John a dit que tu pouvais assister à l'entrevue depuis la salle d'observation.

— Tu ne m'avais pas dit que Keith avait été blessé ?

— C'est superficiel.

— Et Junior ? Comment il va ?

Beverly poussa un profond soupir.

— Les tueurs s'en sont pris à lui pour faire parler Keith. Il a le nez cassé, une vertèbre démise et de sérieuses blessures internes.

James imagina ce qu'avait subi son ami et sentit la nausée le gagner.

— J'aurais dû tenter quelque chose pour le sauver…

— Contre huit hommes armés ? Ne culpabilise pas. Tu as fait ce que tu avais à faire.

— Il va s'en remettre ?

— Il va rester à l'hôpital un bon bout de temps. Il a demandé à te voir, mais à partir de maintenant, tu n'existes plus.

— Qu'est-ce que vous racontez ?

— Les services d'immigration des États-Unis n'ont aucune trace de l'arrivée d'un James Beckett sur le sol américain. Tu repars pour Londres dès ce soir. Nous voulons que tu disparaisses avant que la police ne commence à se poser des questions sur toi et le type que tu as abattu.

— J'en ai fait des cauchemars, cette nuit. J'ai revécu cette scène une centaine de fois. Il est mort ?

— Oui.

— Je n'avais pas le choix. J'ai tout fait pour le tenir à distance. J'aurais pu le blesser à la jambe, mais j'avais la trouille de manquer mon coup. Alors j'ai visé le torse.

— J'aurais fait la même chose. Tu as eu raison de ne pas prendre de risques. Tu ne savais pas combien de balles contenait le barillet.

— Bon sang, je n'arrive pas à croire que j'ai tué un être humain.

∴

James descendit au vestiaire des agents. Il se déshabilla puis posa ses vêtements sur un banc, parmi des radios, des holsters et des gilets pare-balles. Il se glissa dans une cabine de douche puis ouvrit le robinet en grand. Tandis que l'eau ruisselait sur son corps, il considérait avec fascination le doigt qui avait appuyé sur la détente, quelques heures plus tôt. Il ne se sentait pas vraiment coupable d'avoir abattu cet inconnu qui le menaçait du même sort, mais il était triste comme une pierre à la pensée que ce type avait sans doute des parents, une femme et des enfants.

— Eh, mon garçon, qu'est-ce que tu fais ?

James leva la tête et vit deux flics taillés comme des armoires à glace qui ôtaient leur équipement.

— Beverly Shapiro m'a dit que je pouvais prendre une douche ici.

— Tu as sacré accent anglais, mon petit.

James hocha la tête.

— Je viens de Londres.

— Super, dit le policier. Tu as déjà rencontré un membre de la famille royale ?

— Bien sûr, dit James avec un large sourire. Je traîne avec eux tout le temps.

Il sortit de la douche et se sécha avec une serviette-éponge. Il examina les armes à feu alignées sur un râtelier de bois et songea qu'elles avaient peut-être servi à donner la mort. Puis il se rappela que deux balles l'avaient frôlé, la nuit passée, et se demanda ce que l'on ressentait au moment de mourir.

Beverly conduisit James à la cantine. Il remplit une

barquette en polystyrène d'œufs et de bacon, puis rejoignit la salle d'observation. C'était une pièce étroite meublée de chaises en plastique. L'un des murs était équipé d'une immense glace sans tain permettant de surveiller la salle d'interrogatoire voisine. Keith Moore, le regard perdu dans le vide, tambourinait nerveusement du bout des doigts sur une table. Sous son T-shirt, on pouvait apercevoir son épaule bandée.

— Surtout, ne fais pas de bruit, chuchota Beverly. La cloison est très fine.

Elle quitta la pièce. James n'entendait que la respiration régulière de Keith, amplifiée par les petits haut-parleurs encastrés dans le plafond.

Quelques secondes plus tard, Beverly et John Jones firent leur entrée dans la salle d'interrogatoire.

— Bonjour, monsieur, dit l'agent du MI5 avant de s'asseoir en face de Keith. Mon nom est John Jones. Je suis ici pour vous aider.

— Je veux voir un avocat. J'ai reçu une blessure par balle. Je n'ai pas dormi. Vous ne pouvez pas m'interroger dans ces conditions.

— Je fais partie des services de renseignement britanniques. Je ne dispose d'aucun pouvoir sur le territoire des États-Unis. Nous sommes réunis pour une simple discussion informelle.

— Vous pourriez aussi bien être le grand chef du Ku Klux Klan, je ne parlerai qu'en présence d'un avocat.

— La police locale a retrouvé le corps d'un membre du cartel de Lambayeke à votre domicile, ainsi que de nombreuses armes non immatriculées. Cet homme a été abattu par balle. Jusqu'à preuve du contraire, vous êtes le suspect numéro un.

— Je répète que je veux voir un avocat.

John se tourna vers Beverly.

— Quelle est la peine encourue pour un meurtre lié au trafic de drogue en Floride ?

— La perpétuité, sans possibilité de libération conditionnelle, si le juge est dans un bon jour. S'il est mal luné, c'est la peine de mort par injection létale.

— Et si monsieur Moore plaide coupable, en affirmant avoir agi en état de légitime défense ?

— Entre vingt et cinquante ans de prison.

— Eh bien, les lois sont plutôt fermes, dans cet État. Je crois que vous avez un sérieux problème, monsieur.

— J'ai de l'argent, dit Keith, s'efforçant de garder une contenance. Je peux me payer les meilleurs avocats.

— Encore faudrait-il que cette affaire soit un jour jugée devant un tribunal.

— Qu'est-ce que c'est que ces sous-entendus ?

— Vous allez être publiquement accusé d'avoir abattu un membre du cartel de Lambayeke. Dans la mesure où vous n'êtes pas citoyen américain, vous ne bénéficierez d'aucune possibilité de remise en liberté sous caution. En attendant votre procès, vous serez transféré dans une prison de Floride abritant des membres de cette organisation criminelle. Combien de temps pensez-vous survivre avant que l'un d'entre eux ne vous plante un couteau entre les omoplates ?

Keith semblait sous le choc. John posa son mobile sur le bureau.

— Allez-y, Keith. Appelez votre star du barreau, si ça vous chante. Le système légal de Floride vous prendra sous son aile, et vous serez mort avant Noël.

— Que me proposez-vous ?

— Signons un accord. La DEA vous garantira l'immunité sur le territoire des États-Unis, en échange d'un témoignage sur votre collaboration avec le cartel de Lambayeke au cours des vingt dernières années. En outre, bien entendu, vous n'aurez plus le droit de remettre le pied sur le sol américain. La DEA transmettra votre dossier à la police britannique. Vous devrez affronter la justice de Sa Majesté, et encourir une peine de vingt à vingt-cinq ans de prison. Vous pouvez espérer être remis en liberté pour bonne conduite dans une quinzaine d'années.

— Pourquoi me faire cette faveur ?

— Cet accord satisfait tout le monde. Les Américains seront ravis d'entendre ce que vous avez à leur dire sur le cartel et d'économiser le coût d'un long procès et d'une détention qui s'annonce difficile. Les autorités anglaises, elles, se feront un plaisir d'annoncer le succès de l'opération Sniff dès votre descente d'avion. Quant à vous, l'opportunité de rester en vie devrait vous satisfaire.

— Et si ces foutus Péruviens me poursuivent jusqu'en Angleterre ?

— Ils essaieront peut-être de vous éliminer, dit

John en haussant les épaules. Mais les membres du cartel sont rares dans les prisons britanniques, et vous serez sur votre territoire. J'imagine qu'un homme de votre importance saura se faire des amis pour assurer sa protection.

— Vous avez pensé à tout, dit Keith en se tortillant sur sa chaise.

— Cette offre est non négociable et non renouvelable. Je vous laisse une heure pour prendre votre décision.

Keith se pencha en arrière et passa une main dans ses cheveux.

— Vous savez, je suis dans le business depuis assez longtemps pour savoir quand quelqu'un me tient par les bijoux de famille.

Il tendit la main au-dessus de la table pour serrer la main de son interlocuteur.

— Marché conclu, monsieur Jones.

L'interrogatoire achevé, James regagna le bureau de Beverly et passa un coup de fil à la maison de Thornton.

— Kyle ? c'est toi ?

— James, qu'est-ce qui se passe ?

— John Jones vient de coincer Keith Moore. Ils l'ont arrêté la nuit dernière. Il a conclu un accord d'extradition pour sauver sa peau.

— Excellent. On est en train de faire les bagages, ici. On a prévenu tout le monde qu'on rentrait à Londres.

— Les vacances se sont bien passées ?

— La fête de Ringo était démentielle. Des meubles cassés, des gens qui vomissaient dans les escaliers, tu vois le genre. J'ai rencontré un garçon vachement sympa. Il s'appelle Dave, il est super mignon et…

— Stop, stop, *stop* ! cria James. J'arrive tout juste à me faire à l'idée que tu préfères les mecs, alors épargne-moi les détails… Comment ça se fait que cette fiesta ait dégénéré à ce point ? Je croyais que Kelvin était censé surveiller la maison.

— Tu n'es pas au courant ? La police a procédé à une rafle au club de boxe, mardi dernier. Ils ont arrêté Kelvin, Marcus, Ken et le grand mec qui est dans ta classe…

— Del ?

— Ouais, c'est ça. Del et plein d'autres livreurs. Les flics ont trouvé le carnet d'adresses de la nana qui dispatchait les livraisons. Tu aurais sans doute été arrêté aussi si tu avais été dans les parages.

— Kerry est là ? Je peux lui parler ?

— Non, désolé. Elle est avec Max Power.

— Qui ça ? demanda James, pris d'un soudain accès de jalousie.

— C'est un nouveau. Il est arrivé au collège lundi. Ils sont tout le temps fourrés ensemble. Ils se bécotent matin, midi et soir.

James réalisa que c'était trop gros pour être vrai.

— Très drôle.

— Avoue que t'y as cru, gloussa Kyle. Kerry… c'est ton homme. Il veut te parler.

La jeune fille saisit le combiné.

— Salut James.

— On a eu Keith. Il va en prendre pour vingt-cinq ans.

La jeune fille laissa échapper un cri perçant. James écarta le téléphone de son oreille.

— Génial, dit-elle. On rentre au campus demain matin. Tu arrives quand ?

— Je prends l'avion dès ce soir. J'y serai sans doute en même temps que vous.

— Tu étais sérieux, l'autre fois ? Je veux dire… à propos de nous deux ?

James sourit.

— Bien sûr que j'étais sérieux. Et tu peux pas savoir comme j'ai hâte de te revoir.

32. Une brute sauvage

James pénétra dans le bureau de Meryl Spencer. La jeune femme était accoudée à la fenêtre qui dominait la piste d'athlétisme de CHERUB.

— Ewart est impressionné, dit-elle. Zara est impressionnée. John Jones, du MI5, est impressionné. Et je dois dire, James, que *je* suis impressionnée.

James adressa un large sourire à sa responsable de formation. Il plaça le panier en plastique noir sur le bureau et s'assit.

Meryl en inspecta le contenu : des vêtements, des baskets, des CD, une enveloppe renfermant plus de cinq cents livres et les cinq jeux PlayStation qu'il avait dérobés au centre commercial de Luton.

— Tu es certain que tu n'as rien gardé ? demanda-t-elle.

— Certain. Tout ce que j'ai volé, gagné ou acheté grâce aux livraisons se trouve ici. À part ce que j'ai utilisé pour la bouffe et les sorties, les cadeaux pour Joshua, et l'argent dépensé pour l'anniversaire de Lauren.

— À quelle œuvre de charité veux-tu donner tout ça ?

— J'en ai discuté avec Kerry. Elle a regardé sur Internet et trouvé un centre qui s'occupe des jeunes toxicos, près de Luton. Ils les aident à décrocher, à trouver du boulot, à entrer à l'université, des trucs comme ça.

— Excellent choix. On te doit trente livres d'argent de poche pour le temps passé en mission. Les organisations caritatives n'accepteront jamais ces fringues de voyou et ces baskets de luxe. Tu peux les garder, c'est cadeau.

— Merci, dit James. C'est super sympa.

— Je ne sais pas si c'est l'influence de Kerry, mais j'ai l'impression que tu t'es assagi. Je me trompe ?

Le compliment lui alla droit au cœur.

— Je suis à CHERUB depuis exactement un an, et je commence à être fatigué de nettoyer les couloirs, d'éplucher des légumes et de faire des tours de piste.

Meryl éclata de rire.

— Ah ! ce que j'aime t'entendre parler comme ça ! On dirait que j'ai enfin réussi à te mater. Plus sérieusement, James, ce que tu as réalisé au cours de cette opération démontre que l'entraînement et le travail portent toujours leurs fruits. La nuit où les membres du cartel ont envahi la villa de Miami, tu as su garder la tête froide et faire les choix qui s'imposaient. Si tu t'étais trouvé dans une telle situation avant d'intégrer CHERUB, je suis sûre que ta réaction aurait été totalement différente.

James hocha la tête.

— J'aurais probablement paniqué, comme Junior.

— Je tiens aussi à te féliciter pour la manière dont tu as réussi à entrer dans l'intimité de Keith Moore.

— En fait, j'adore ce mec. Je sais que c'est un trafiquant, et tout ça, mais ça me rend triste qu'il aille en prison.

— En bien, sors-toi ça de la tête, lança Meryl, le regard sombre. Ce salaud avait l'argent et le pouvoir, ce qui lui permettait de ne pas se salir les mains. Il se donnait des airs de bon père de famille, mais il savait dans les moindres détails comment fonctionnait GKM. Cette organisation gouvernait par la violence et l'intimidation. Ses membres gagnaient des fortunes sur le dos des gosses qui livraient la dope et de ceux qui se ruinaient la santé en la sniffant.

— Selon Keith, le démantèlement de GKM n'aura aucune influence sur la consommation de stupéfiants.

— Il y a peut-être du vrai là-dedans, mais doit-on cesser de combattre un fléau parce que la tâche est difficile ? Si l'on suit cette logique, il faudrait fermer les hôpitaux et mettre les médecins à la retraite, puisque tout le monde finit par mourir un jour ou l'autre.

— Quand est prévue ma prochaine mission ?

— Sur ce point, j'ai peur de te décevoir. Tu as effectué deux longues missions, cette année, et tu as manqué beaucoup de cours. Tu ne partiras pas en mission avant l'année prochaine.

— Bof, ce n'est pas plus mal. Ces opérations sont

épuisantes. Ça me fera du bien de passer quelques mois tranquilles, à me réveiller sans me demander quel est mon nom et si je vais me faire tirer dessus.

— À ce propos, je voudrais qu'on parle de l'homme que tu as abattu. Nous faisons tout ce que nous pouvons pour éviter que nos agents se retrouvent dans de telles situations, mais le trafic de drogue et l'usage des armes à feu sont étroitement liés. As-tu pensé à tout ça depuis que tu es rentré ?

— Un peu. Je me demande surtout ce qui se serait passé si Junior et moi n'avions pas décidé d'aller sur la plage pour nous ba… hum… pour prendre un bain de minuit.

— Tu arrives à dormir ? Tu fais des cauchemars ?

— Je suis resté éveillé pendant tout le vol de retour. Je n'arrêtais pas de penser à cette fuite en voiture, aux deux balles qui ont failli me toucher.

— Je vais te prendre un rendez-vous avec un psychologue, dit Meryl. Tu as traversé une expérience traumatisante, et il est important que tu parles de ce que tu ressens.

∴

Kerry patientait sur un banc, près de la piste d'athlétisme, devant le bâtiment qui abritait le bureau de Meryl Spencer. James l'embrassa sur la joue puis s'assit à ses côtés.

— Alors, combien de tours de punition tu as récoltés ?
— Aucun.
— Ça doit être une première.
— Je n'ai rien fait de mal.
Kerry gloussa.
— Une autre première.
— Ils ne me confieront pas de mission avant l'année prochaine. On va pouvoir passer du temps ensemble. Regarder des films, faire nos devoirs et tout ça. C'est génial, non ?
— Parle pour toi, James. Tu as eu la chance de participer à deux missions importantes, et tu portes déjà le T-shirt bleu marine. J'en crève d'envie, tu comprends ?
— Ça n'a aucune importance. C'est juste un bout de tissu.
Le visage de Kerry s'assombrit.
— S'il y a bien un truc que je déteste, c'est les privilégiés qui expliquent à ceux qui n'ont pas eu la même chance qu'eux qu'ils n'ont rien à leur envier. Comme ces rock stars sur MTV qui répètent que les millions de dollars et les top models ne les ont pas rendus plus heureux. Bizarrement, j'en ai encore vu aucun plaquer sa villa de Los Angeles pour retourner vivre dans la caravane de maman.
James jugea préférable de changer de sujet avant que Kerry ne pique l'une de ses légendaires colères.
— Ça te dirait de faire une balade derrière le campus ?

— Bien sûr, dit la jeune fille avec un large sourire. Les arbres ont des couleurs sublimes en ce moment. Je ne savais pas que tu avais un côté romantique, James.

— En fait, Kyle et Lauren sont en train de nettoyer le fossé d'évacuation. J'avais pensé qu'on pourrait aller les voir pour se foutre un peu de leur gueule.

Elle lui donna un léger coup de coude.

— Bon sang, comment j'ai pu être aussi naïve ?

— Au fait, les autres résidents devaient pas leur filer un coup de main ?

— Mac a dit que Lauren devait purger sa punition toute seule, et que tout agent surpris à lui porter assistance écoperait de trente tours de piste par jour pendant un mois. Alors on se contente de lui rendre la vie plus facile. On s'occupe de sa lessive, on la laisse couper la file au réfectoire, on fait ses devoirs, ce genre de trucs.

— J'ai croisé Kyle, hier soir, continua James. J'étais mort de rire. Lui qui est toujours si clean, son uniforme était couvert de boue. Il puait la bouse de vache et le purin à dix mètres.

— Il l'a bien mérité, dit Kerry. Il a fumé de la drogue.

— C'est bon, il n'a fait que tirer une taffe sur un joint. Il ne se serait jamais fait prendre si Nicole n'avait pas perdu connaissance.

— Peu importe. On doit respecter la loi.

James éclata de rire.

— Qu'est-ce qui te fait marrer ? demanda son amie.

— Toi. Tu es une vraie petite fille modèle.

Elle lui planta un doigt entre les côtes.

— Eh ! pourquoi tu fais ça ? protesta-t-il.

— *Je ne suis pas* une petite fille modèle.

— Une sainte nitouche, si tu préfères.

— Retire ça tout de suite, ou tu vas le regretter.

— Retire ça tout de suite ou tu vas le regretter, répéta James d'une voix haut perchée.

— Ça suffit, ferme-la ! rugit Kerry, furieuse.

— Ça suffit, ferme-la !

Sur cette ultime provocation, il déposa un baiser sur les lèvres de sa petite amie. Elle lui adressa un large sourire.

— Je savais bien que tu n'étais pas vraiment en colère contre moi, ricana James. Je suis absolument irrésistible.

Alors, imperceptiblement, il vit ce sourire tendre se changer en rictus diabolique. Elle le saisit par le cou puis lui coinça la tête sous son épaule.

— Je suis toujours une petite fille modèle ? dit-elle en resserrant sa prise.

— Non… souffla James.

— Tu es certain ?

— Oui, oui ! tu es une brute sauvage, ajouta-t-il en se tortillant. S'il te plaît… pitié…

Kerry relâcha sa proie. Il mesurait le caractère comique de la situation. Malgré la mission périlleuse qu'il avait accomplie aux États-Unis, il venait d'être humilié par une fille de douze ans portant des chaussettes rayées rose et blanc décorées de pingouins brodés aux chevilles.

Elle se leva et se dirigea vers la forêt.

— Où tu vas ? demanda-t-il.

— Faire une balade romantique. Tu viens, oui ou non ?

⁂

Dans la soirée de dimanche, James et Kerry allèrent au bowling de la ville voisine, en compagnie d'une dizaine d'autres agents. Ils perdirent trois manches à deux contre les jumeaux Callum et Connor, mais passèrent un moment agréable. James ne s'était jamais senti aussi à l'aise avec une fille. Depuis qu'il avait osé faire le premier pas, il regrettait d'avoir perdu tant de temps à se trouver des excuses.

De retour dans sa chambre, il resta longuement éveillé. Son rythme biologique était encore adapté à l'heure de Miami.

Il glissa les mains derrière sa tête et observa fixement le plafond.

Il eut une pensée pour Junior sur son lit d'hôpital, puis se rappela avec agacement qu'April ne lui avait pas rendu sa montre Nike. La mission GKM lui faisait déjà l'effet d'un vieux souvenir. James Beckett n'existait plus. James Adams, bien au chaud sous sa couette, n'avait jamais été aussi heureux depuis la mort de sa mère.

Il connaissait désormais le campus comme sa poche

et pouvait nommer tous les résidents. Il distinguait les instructeurs avec lesquels on pouvait se permettre de plaisanter, de ceux avec lesquels il était préférable de se tenir à carreau.

James savait qu'il allait à nouveau devoir se lever tous les jours à l'aube pour participer à d'épuisantes séances d'entraînement ou assister à des leçons assommantes. Mais chaque matin, en entrant dans le réfectoire en uniforme pour prendre son petit déjeuner, il savait qu'il lirait le respect dans les yeux des autres agents, qu'il y trouverait toujours des amis pour échanger des blagues et des ragots.

Un an plus tôt, il n'avait trouvé à CHERUB que des visages anonymes, des couloirs aux murs nus et des instructeurs tyranniques.

À présent, il se sentait chez lui.

Épilogue

KELVIN HOLMES fut condamné à trois ans de détention pour trafic de drogue. La plupart des livreurs de GKM s'en tirèrent avec des avertissements formels ou des mesures de contrôle judiciaire. Ceux qui avaient déjà eu maille à partir avec la justice écopèrent de peines d'emprisonnement de trois à six mois. Privés du soutien financier de Keith Moore, la maison des jeunes JT Martin et le club de boxe fermèrent définitivement leurs portes à Noël 2004. Aucune charge ne fut retenue contre **KEN FOWLER**, qui succomba à une attaque cardiaque quelques mois plus tard.

MADELINE BURROWS, la femme chargée de dispatcher les livraisons, fut condamnée à cinq ans de détention, tout comme son frère cadet **JOSEPH BURROWS**, aussi connu sous le nom de **CRAZY JOE**. Suite à la mission de surveillance de l'entrepôt Thunderfoods, plus de cent trente membres de GKM finirent derrière les barreaux.

KEITH MOORE fut interrogé une semaine entière au quartier général de la DEA, à Washington DC. Résolu à se venger du cartel de Lambayeke, il livra des informations capitales qui permirent la saisie immédiate de cent trente millions de dollars et l'arrestation de plusieurs dirigeants haut placés de l'organisation.

Il fut extradé vers l'Angleterre, où il plaida coupable des charges de blanchiment d'argent et de trafic de drogue. Il écopa de dix-huit ans d'emprisonnement, peine assortie de l'impossibilité d'obtenir la liberté conditionnelle avant dix ans. La police retrouva la trace de douze millions de livres sur ses comptes personnels, mais les experts de la brigade financière estiment que quarante autres millions dorment aujourd'hui dans des banques offshore.

JUNIOR MOORE ne conserva aucune séquelle de sa mésaventure. Peu de temps après son retour en Angleterre, il fut renvoyé du collège Grey Park pour absentéisme renouvelé. Sa mère, de crainte qu'il ne suive les traces de son père, le plaça dans un internat spécialisé dans l'éducation des adolescents difficiles.

APRIL MOORE se lassa rapidement de ne pas recevoir de réponses aux SMS et aux e-mails envoyés à James. Elle retourna sa montre à l'adresse indiquée par la famille Beckett avant son départ de Thornton. Quelques semaines plus tard, le pli finit par atterrir au service courrier de CHERUB. Lorsque James ouvrit l'enveloppe, il n'y trouva que des fragments de verre et de métal accompagnés du message suivant : « *Tu aurais au moins pu avoir le courage de me larguer droit dans les yeux. J'espère que tu crèveras d'une longue et douloureuse maladie. April.* »

JOHN JONES quitta le MI5 après dix-neuf ans de service. Il est aujourd'hui contrôleur de mission à CHERUB.

EWART et **ZARA ASKER** attendent la naissance de leur deuxième enfant. L'heureux événement est prévu pour avril 2005.

NICOLE EDDISON a été adoptée par un couple d'anciens agents de CHERUB. Elle vit désormais dans une ferme du Shropshire. Elle s'entend à merveille avec ses deux frères adoptifs et a un nouveau petit ami prénommé James. Elle voit un psychologue deux fois par semaine et commence peu à peu à accepter la perte de sa famille.

Le docteur McAfferty a rédigé un rapport concernant le cas de Nicole Eddison. Il a abouti aux conclusions suivantes :

« *Nicole Eddison a obtenu des résultats exceptionnels aux tests d'admission de CHERUB, et tout portait à croire qu'elle ferait un excellent agent. Hélas, il nous faut admettre qu'aucune épreuve théorique ne peut rendre compte de la complexité de la nature humaine. Tant que l'organisation existera, il faudra nous attendre à ce que d'autres candidats inadaptés soient recrutés. Nous ne pouvons que rester vigilants et nous efforcer de limiter au maximum ces déplorables erreurs de jugement. »*

Quelques semaines après la fin de la mission de Miami, **AMY COLLINS** quitta le campus pour aller vivre avec son frère en Australie. James, accompagné d'un grand nombre d'agents, l'accompagna jusqu'à la porte d'embarquement, à l'aéroport d'Heathrow.

KYLE BLUEMAN et **LAUREN ADAMS** passèrent deux mois à nettoyer le fossé à l'arrière du campus. Kyle fut suspendu de toute mission opérationnelle pour les quatre mois suivants. Lauren a entamé sa deuxième session de programme d'entraînement initial. Son compte à rebours ne la quitte jamais. Elle est déterminée à réussir, en dépit de la volonté farouche de Mr Large de lui faire payer son légendaire coup de pelle.

Après quelques semaines passées sur le campus, **KERRY CHANG** fut envoyée en mission de longue durée à Hong Kong. Kerry et James échangent des e-mails quotidiens et se parlent de temps à autre au téléphone.

JAMES ADAMS profite de son séjour prolongé sur le campus pour rattraper son retard scolaire. Il a commencé à préparer ses examens de GCSE dans ses trois matières les plus fortes, a entamé un sévère programme d'amaigrissement et raté de peu l'obtention de son deuxième dan de karaté. Il espère se voir confier une nouvelle mission dès le début de l'année 2005.

CHERUB, agence de renseignement fondée en 1946

1941

Au cours de la Seconde Guerre mondiale, Charles Henderson, un agent britannique infiltré en France, informe son quartier général que la Résistance française fait appel à des enfants pour franchir les *check points* allemands et collecter des renseignements auprès des forces d'occupation.

1942

Henderson forme un détachement d'enfants chargés de mission d'infiltration. Le groupe est placé sous le commandement des services de renseignement britanniques. Les *boys* d'Henderson ont entre treize et quatorze ans. Ce sont pour la plupart des Français exilés en Angleterre. Après une courte période d'entraînement, ils sont parachutés en zone occupée. Les informations collectées au cours de cette mission contribueront à la réussite du débarquement allié, le 6 juin 1944.

1946

Le réseau Henderson est dissous à la fin de la guerre. La plupart de ses agents regagnent la France. Leur existence n'a jamais été reconnue officiellement.

Charles Henderson est convaincu de l'efficacité des agents mineurs en temps de paix. En mai 1946, il reçoit du gouvernement britannique la permission de créer CHERUB, et prend ses quartiers dans l'école d'un village abandonné. Les vingt premières recrues, tous des garçons, s'installent dans des baraques de bois bâties dans l'ancienne cour de récréation.

Charles Henderson meurt quelques mois plus tard.

1951

Au cours des cinq premières années de son existence, CHERUB doit se contenter de ressources limitées. Suite au démantèlement d'un réseau d'espions soviétiques qui s'intéressait de très près au programme nucléaire militaire britannique, le gouvernement attribue à l'organisation les fonds nécessaires au développement de ses infrastructures.

Des bâtiments en dur sont construits et les effectifs sont portés de vingt à soixante.

1954

Deux agents de CHERUB, Jason Lennox et Johan Urminski, perdent la vie au cours d'une mission d'infiltration en Allemagne de l'Est. Le gouvernement envisage de dissoudre l'agence, mais renonce finalement à se séparer des soixante-dix agents qui remplissent alors des missions d'une importance capitale aux quatre coins de la planète.

La commission d'enquête chargée de faire toute la

lumière sur la mort des dcux garçons impose l'établissement de trois nouvelles règles :

1. La création d'un comité d'éthique composé de trois membres chargés d'approuver les ordres de mission.

2. L'établissement d'un âge minimum fixé à dix ans et quatre mois pour participer aux opérations de terrain. Jason Lennox n'avait que neuf ans.

3. L'institution d'un programme d'entraînement initial de cent jours.

1956

Malgré de fortes réticences des autorités, CHERUB admet cinq filles dans ses rangs à titre d'expérimentation. Au vu de leurs excellents résultats, leur nombre est fixé à vingt dès l'année suivante. Dix ans plus tard, la parité est instituée.

1957

CHERUB adopte le port des T-shirts de couleur distinguant le niveau de qualification de ses agents.

1960

En récompense de plusieurs succès éclatants, CHERUB reçoit l'autorisation de porter ses effectifs à cent trente agents. Le gouvernement fait l'acquisition des champs environnants et pose une clôture sécurisée. Le domaine s'étend alors à un tiers du campus actuel.

1967

Katherine Field est le troisième agent de CHERUB à perdre la vie sur le théâtre des opérations. Mordue par un serpent lors d'une mission en Inde, elle est rapidement secourue, mais le venin ayant été incorrectement identifié, elle se voit administrer un antidote inefficace.

1973

Au fil des ans, le campus de CHERUB est devenu un empilement chaotique de petits bâtiments. La première pierre d'un immeuble de huit étages est posée.

1977

Max Weaver, l'un des premiers agents de CHERUB, magnat de la construction d'immeubles de bureaux à Londres et à New York, meurt à l'âge de quarante et un ans, sans laisser d'héritier. Il lègue l'intégralité de sa fortune à l'organisation, en exigeant qu'elle soit employée pour le bien-être des agents.

Le fonds Max Weaver a permis de financer la construction de nombreux bâtiments, dont le stade d'athlétisme couvert et la bibliothèque. Il s'élève aujourd'hui à plus d'un milliard de livres.

1982

Thomas Webb est tué par une mine antipersonnel au cours de la guerre des Malouines. Il est le quatrième agent de CHERUB à mourir en mission. C'était l'un des neuf agents impliqués dans ce conflit.

1986

Le gouvernement donne à CHERUB la permission de porter ses effectifs à quatre cents. En réalité, ils n'atteindront jamais ce chiffre. L'agence recrute des agents intellectuellement brillants et physiquement robustes, dépourvus de tout lien familial. Les enfants remplissant les critères d'admission sont extrêmement rares.

1990

Le campus CHERUB étend sa superficie et renforce sa sécurité. Il figure désormais sur les cartes de l'Angleterre en tant que champ de tir militaire, qu'il est formellement interdit de survoler. Les routes environnantes sont détournées afin qu'une allée unique en permette l'accès. Les murs ne sont pas visibles depuis les artères les plus proches. Toute personne non accréditée découverte dans le périmètre du campus encourt la prison à vie, pour violation de secret d'État.

1996

À l'occasion de son cinquantième anniversaire, CHERUB inaugure un bassin de plongée et un stand de tir couvert.

Plus de neuf cents anciens agents venus des quatre coins du globe participent aux festivités. Parmi eux, un ancien Premier Ministre du gouvernement britannique et une star du rock ayant vendu plus de quatre-vingts millions d'albums.

À l'issue du feu d'artifice, les invités plantent leurs tentes dans le parc et passent la nuit sur le campus. Le lendemain matin, avant leur départ, ils se regroupent dans la chapelle pour célébrer la mémoire des quatre enfants qui ont perdu la vie pour CHERUB.

Table des chapitres

RETROUVEZ CHEZ VOTRE LIBRAIRE

Pour tout connaître des origines de l'organisation CHERUB, lisez la série HENDERSON'S BOYS

Été 1940. L'aventure CHERUB est sur le point de commencer...

Tome 1 **L'EVASION**

Été 1940.

L'armée d'Hitler fond sur Paris, mettant des millions de civils sur les routes.

Au milieu de ce chaos, l'espion britannique Charles Henderson cherche désespérément à retrouver deux jeunes Anglais traqués par les nazis. Sa seule chance d'y parvenir : accepter l'aide de Marc, 12 ans, un gamin débrouillard qui s'est enfui de son orphelinat. Les services de renseignement britanniques comprennent peu à peu que ces enfants constituent des alliés insoupçonnables.

Une découverte qui pourrait bien changer le cours de la guerre…

Tome 2 **LE JOUR DE L'AIGLE**

Derniers jours de l'été 1940.
Un groupe d'adolescents mené par l'espion anglais Charles Henderson tente vainement de fuir la France occupée. Malgré les officiers nazis lancés à leurs trousses, ils se voient confier une mission d'une importance capitale : réduire à néant les projets allemands d'invasion de la Grande-Bretagne.
L'avenir du monde libre est entre leurs mains…

Tome 3 **L'ARMÉE SECRÈTE**

Début 1941.

Fort de son succès en France occupée, Charles Henderson est de retour en Angleterre avec six orphelins prêts à se battre au service de Sa Majesté. Livrés à un instructeur intraitable, ces apprentis espions se préparent pour leur prochaine mission d'infiltration en territoire ennemi. Ils ignorent encore que leur chef, confronté au mépris de sa hiérarchie, se bat pour convaincre l'état-major britannique de ne pas dissoudre son unité…

Tome 4

OPÉRATION U-BOOT

Printemps 1941.
Assaillie par l'armée nazie, la Grande-Bretagne ne peut compter que sur ses alliés américains pour obtenir armes et vivres. Mais les cargos sont des proies faciles pour les sous-marins allemands, les terribles U-Boot.
Charles Henderson et ses jeunes recrues partent à Lorient avec l'objectif de détruire la principale base de sous-marins allemands. Si leur mission échoue, la résistance britannique vit sans doute ses dernières heures…

Pour raison d'État, ces agents n'existent pas.